P9-DFL-011

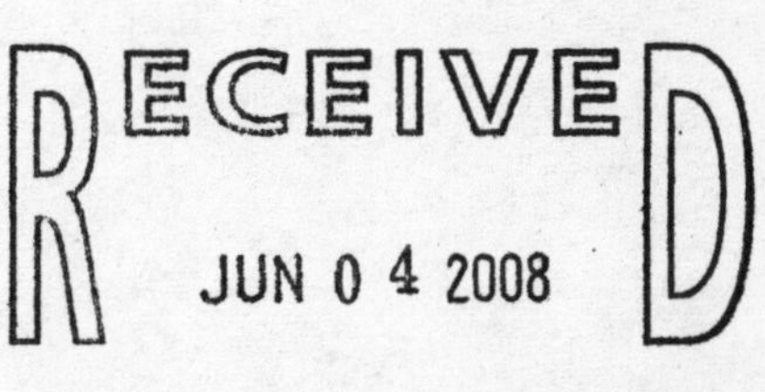
RECEIVED
JUN 04 2008
CASTRO VALLEY

Zapatillas Rosas

Título original:
Scarpette Rosa - Sulle punte!
Escrito por Beatrice Masini
Ilustraciones de Sara Not
© Edizioni El s.r.l., 2005
© De la traducción: María Prior Venegas, 2007
© De esta edición: Grupo Anaya, S. A., 2007
Juan Ignacio Luca de Tena, 15. 28027 Madrid
www.zapatillasrosas.es
e-mail: anayainfantilyjuvenil@anaya.es

Primera edición, febrero 2007

ISBN: 978-84-667-5365-4
Depósito legal: Na. 41/2007
Impreso en RODESA
(Rotativas de Estella S. A.)
Impreso en España - Printed in Spain

Las normas ortográficas seguidas en este libro
son las establecidas por la Real Academia Española
en su última edición de la Ortografía, del año 1999.

Este libro ha sido negociado a través de la agencia literaria
Ute Körner, S. L., Barcelona - www.uklitag.com

Reservados todos los derechos. El contenido de esta obra está protegido por la Ley, que establece penas de prisión y/o multas, además de las correspondientes indemnizaciones por daños y perjuicios, para quienes reprodujeren, plagiaren, distribuyeren o comunicaren públicamente, en todo o en parte, una obra literaria, artística o científica, o su transformación, interpretación o ejecución artística fijada en cualquier tipo de soporte o comunicada a través de cualquier medio, sin la preceptiva autorización.

Beatrice Masini

¡CON LAS PUNTAS!

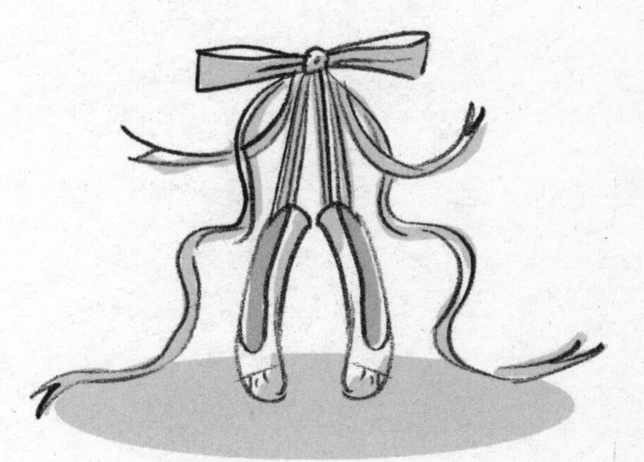

ANAYA

La Academia es una escuela de baile de novela, con normas de novela, donde suceden cosas de novela. Se parece a muchas escuelas de baile de verdad, pero no es ninguna de ellas. Sin embargo, el trabajo que cada uno de los protagonistas realiza para conseguir su sueño es real.

NOTAS

La poesía de la página 72 es de Francesca Genti y está extraída de *El verdadero amor no tiene avellanas*, editado por Minimum fax.

La cita de la página 134 es el principio de *Coraline*, de Neil Gaiman, editado por Mondadori.

Un regalo

Es un libro gracioso —un poco raro—, con forma de zapatilla de ballet, algo regordete, recortado en la parte superior a fin de imitar la puntera. Por supuesto, la zapatilla viene dibujada en la cubierta, y, si la juzgamos por su anchura, se parece más a un zueco holandés. Es su color rosa intenso y el lacito trenzado que la cierra por delante, bajo el título, lo que te da la idea de que es una zapatilla de ballet. El libro se titula *El manual de la bailarina,* y en seguida se advierte que es para niñas pequeñas. Es un regalo que Zoe ha recibido de su abuela. Curioseando, como de costumbre, en una librería, lo vio, y pensó inmediatamente en su nieta, a pesar de que, como es obvio, la niña es algo mayor para ese tipo de cosas, ya que es una bailarina de verdad, y no una niña que fantasee sobre la posibilidad de llegar a

serlo. Pero bueno, le pareció divertido y pensó que podía formar parte de su colección, ¿no?

Pues claro que sí. Y es verdad que Zoe tiene una colección de libros sobre danza, desde *Billy Elliot* (por supuesto, tiene también la película en DVD) a una versión bonita y dura, llena de ilustraciones dulces y tristes, de *Las zapatillas rojas,* el cuento de Andersen. Tiene, además, libros de Angelina Ballerina, una ratoncita blanca muy, muy inglesa. Y, también, libros de fotografías sobre deliciosas niñas con tutús que se divierten muchísimo (pero ¿tendrán idea de lo que significa bailar de verdad?), y breves novelas algo tontorronas sobre chicas con las ideas muy claras y un solo objetivo: ser la número uno, a cualquier precio.

Por tanto, también este curioso libro-zapatilla puede entrar a formar parte de la colección, a pesar de que si uno se pone a hojearlo saltan a la vista algunas frases ciertamente jocosas. Por ejemplo: «No hay una bailarina que pueda soportar no tener un par de calentadores de piernas», o «¡Ninguna bailarina podría bailar sin un tutú!», o, incluso: «Las bailarinas no hablan con su público para comunicarle lo que tienen que decir. Utilizan el cuerpo, el rostro y los pasos de baile para explicarse». ¿Será cierto?

A Zoe esas frases le parecen algo extrañas. No obstante, se le ocurre una idea. Podría escribir ella misma el manual de una bailarina. Una especie de diario. O no: sería algo ya muy visto. Mejor sería redactar una colección de ideas y reflexiones espontáneas, puesto que en este momento se le acumulan tantos pensamientos que se siente como si fuese solo una cabeza, una cabeza grande, y, tal vez, si los escribiese, le quedarían más claros.

Así pues, abre el segundo cajón de su mesa, donde guarda los cuadernos blancos. Son, casi todos, cuadernos escolares corrientes, con cubiertas graciosas llenas de florecitas; pero hay dos especiales, más bonitos, encuadernados como un libro. Uno de ellos se lo regalaron por su cumpleaños; es negro, con el borde rojo y un elástico para cerrarlo, y se parece a los cuadernos que utilizaban los niños hace mucho tiempo. El otro lo ha comprado ella en una papelería especial, y tiene la cubierta de tela con cuadraditos verdes y, en el borde, un acabado en pasamanería azul brillante. El papel no tiene ni pautas ni recuadritos, por lo que es perfecto para un diario. Zoe nunca ha llevado un diario; empezó uno, como un juego, cuando estaba en cuarto curso, solo porque Leda lo hacía, pero se cansó en seguida: escribir lo que le pasaba cada día le parecía tonto, porque eran cosas que ya sabía y, además, eran siempre las mismas.

Pero quizá ahora sea diferente. Y esta vez no tiene intención de escribir lo que le ha ocurrido, sino lo que ha pensado. Coge la pluma roja y dorada que le ha prestado mamá (es prestada porque sigue siendo de su mamá, y Zoe tiene permiso para utilizarla solo dentro de casa, pero no puede guardarla en el estuche ni llevarla a clase, donde podría perderla) y empieza. Empieza imitando un poco al libro-zapatilla, pero luego las palabras toman su propio rumbo.

Las bailarinas no hablan. No lo necesitan. Aunque no, no es verdad. Hablan, y mucho. Solo que no emplean palabras, utilizan un vocabulario que está hecho de gestos que expresan sensaciones. Lo verdaderamente difícil es experimentar esas sensaciones de forma precisa. Pero si consigues sentirlas, descubrirás que el cuerpo sigue a la mente, la obedece, y consigue expresar todo aquello que quieres. Bueno, casi siempre.

—¿Qué haces? —La puerta se abre de repente, empujada por Marta, que irrumpe en el cuarto de Zoe con su típica falta de consideración.

—Escribo un libro —bromea Zoe. Pero Marta ya se ha distraído; corre hacia la ventana, mira hacia fuera y exclama:

—¿Cómo es que tú tienes una vista mejor que la mía? Y ahora que lo pienso, tu cuarto es más grande.

—Pero tú tienes la terraza y puedes andar por ella en bicicleta —replica Zoe.

Cuando era más pequeña, también ella estaba convencida de que el cuarto de Sara era más bonito. ¿Es que porque una hermana sea mayor tiene que disfrutar de un montón de ventajas? En parte es así, pero no siempre. Y, de todos modos, en una familia las cosas suelen estar distribuidas con equidad. La habitación de Zoe es la más grande, es verdad, y da al jardín, pero desde la de Sara, cuando el cielo está limpio, se ven las montañas, y tener una terraza donde corretear es una ventaja que Marta parece no apreciar.

Pero, en realidad, Marta se da cuenta de muchas más cosas de lo que aparenta, porque más tarde, durante la cena, mira a Zoe con una pizca de malicia y anuncia:

—¿Sabéis que Zoe ha decidido cambiar de profesión?

—¿De verdad? —dice papá, curioso.

—Sí. De mayor será escritora. Bueno, ya ha empezado a escribir.

Mamá se dirige a Zoe:

—¡Qué noticia! —comenta.

—Pero no es verdad —desmiente Zoe, fulminando a Marta con una mirada que no tiene ningún efecto—. Solo que... Bueno, nada. Son unas notas, eso es todo. —Y espera fervientemente que la conversación termine en este punto. Es bastante celosa de sus cosas, de su mundo. No siempre, pero en general prefiere dejar entrar en él a quien ella quiere, cuando ella lo desea. Es algo que ha descubierto hace poco: siempre ha sido reservada, pero ahora desea tener una zona vedada donde guardar secretos.

Papá y mamá parecen haberlo entendido, y, de hecho, papá distrae a Marta con una pregunta:

—¿Has hecho los deberes de lectura?

Marta lo mira, aburrida e irritada al mismo tiempo; luego, baja la cabeza y contesta:

—Pues no.

—Pues entonces los haremos juntas después de la cena, ¿de acuerdo? —propone Sara. Y en un momento se encuentra con cuatro pares de ojos que la observan sorprendidos, porque, generalmente, con catorce años no se tiene mucho tiempo para dedicarlo a las hermanas pequeñas, o, al menos, ella nunca lo ha tenido. Hasta este momento.

—¿Es que está lloviendo? —pregunta mamá con ironía, mirando por la ventana. La verdad es que no. Es más, hace una tarde preciosa, aunque debería caer una granizada, si nos atenemos al ofrecimiento de Sara.

—Qué graciosa... —dice Sara—. Por una vez que decido echarle una mano a mi hermana pequeña...

—Ahí está, lo ha dicho. Una vez —dice papá—. Una vez solo y nunca más, supongo.

—Veremos —dice Sara—. Depende.

Más tarde, se oyen voces que llegan desde el salón, chillidos más o menos inteligibles. Parece que Sara no tiene mucha paciencia. Marta está leyendo fatal, tal vez porque está cansada, tal vez porque no tiene ganas, tal vez porque el fragmento que tiene que leer es demasiado difícil, o a lo mejor porque es primavera y es normal que tenga ganas de divertirse, de dejar a un lado los deberes y de poner en práctica los derechos; por ejemplo, el derecho de hacer lo que quiera después de cenar, porque es un trocito de tiempo libre antes de dormir, porque también la cabeza necesita distraerse. El problema es que Marta no lee muy bien. Está casi a final de curso y le cuesta mucho. Así que no le gusta nada tener que practicar todos los días. Zoe se apena por ella, y también lamenta no poder entender cómo se siente su hermana, comprender por qué odia tanto las palabras impresas y le resulta tan difícil leer. Para Zoe nunca fue un problema. En un momento dado, cuando tenía cinco años, las letras, agrupadas y combinadas, comenzaron a tener sentido para ella, y leer nunca le pareció difícil; al contrario, fue una llave magnífica para descubrir el mundo. Se lo dice a mamá cuando va a darle un beso antes de dormir. Y mamá, que ya está en la cama, apoyada sobre los cojines, con un libro entre las manos, suspira:

—No todos los niños son iguales. Y eso es lo que los hace maravillosos. Mira vosotras, a pesar de ser hermanas, sois muy diferentes. Tiene su encanto, pero a veces puede resultar complicado.

—¿De verdad estás escribiendo un libro?

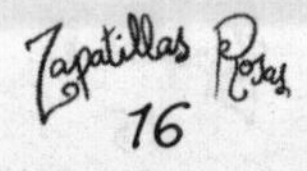

Sara, que acaba de salir del baño, se apoya en el marco de la puerta, con los brazos cruzados y una expresión de mucha curiosidad. Zoe la observa. En la penumbra, su hermosa hermana mayor tiene un perfil ligero y sutil, elegante, compuesto de pocas líneas nítidas. Dan ganas de dibujarla. Pero dibujando Zoe es un verdadero desastre.

—No —responde, cubriendo instintivamente la página con la mano, a pesar de que Sara está demasiado lejos para conseguir leerla—. Son solo mis pensamientos sobre la danza.

—La madre de Anita siempre le lee su diario a escondidas. ¿No te parece horrible? Anita se ha dado cuenta porque, como sospechaba que su madre lo hacía, metió un pelo en la última página, y cuando volvió a abrir el diario, el pelo ya no estaba allí. Y por eso ahora tiene dos diarios, uno es el viejo, que es falso. En él escribe cosas que no son verdad y no tienen importancia. Y para el nuevo ha encontrado otro escondite. A veces, las madres pueden ser unas brujas —dice Sara.

—¿Tú tienes un diario? —le pregunta Zoe.

—No. Me parece una pérdida de tiempo. Y, además, no me gusta escribir, ya sabes. Prefiero las Matemáticas.

—Podrías inventarte un código secreto con números y utilizarlo cuando escribes —dice Zoe—. Como un espía. Así por lo menos utilizarías tus queridas Matemáticas.

—¿Y para qué? ¿Para contar en una página en blanco lo que he hecho? ¡Venga!

—Uno suele tener un diario para aclararse las ideas. Porque si uno escribe sus pensamientos, se le aclara la mente. Lo ha dicho la profe de Lengua —dice Zoe, encogiéndose de hombros.

—¿Sabes lo que hago cuando tengo que aclarar mis ideas? Me pongo ante el espejo y hablo. Me cuento a mí misma las cosas. Incluso dos y tres veces.

Zoe sonríe:

—Yo hago lo mismo.

—Funciona, ¿no?

—Claro que sí.

—Y te ahorras un montón de papel. Menos papel, más árboles. A mí me importan mucho más.

—Igual que a mí —ríe Zoe—. Pero también se puede usar papel reciclado, ¿no?

Estas benditas puntas

Parecía que el acontecimiento iba a cambiarles la vida a todas, como si fuesen a celebrar su cumpleaños a la vez: andar con las puntas, por fin. Un trimestre antes de lo previsto, por decisión indiscutible y muy magnánima de Madame Olenska, bajo su atenta mirada y la de Giménez, que es ya su ayudante de forma oficial.

Bueno, la verdad es que por el momento no ha sucedido nada digno de contar. Ha habido numerosas pruebas para encontrar las medidas adecuadas. Como todas sabíamos desde hacía tiempo, hay dos modelos de zapatillas: unas con las punteras cuadradas y reforzadas, y otras con las punteras recubiertas de raso de color rosa. El segundo modelo es, sin duda, el más bonito; se trata de las verdaderas zapatillas de baile, esas con las que una comienza a soñar incluso antes de ser consciente de que las quiere tener. Pero también son muy delicadas, porque el raso se deshilacha en seguida, y, por lo general, se utilizan durante la representación y luego se tiran. Por tanto, para las clases se usan las de punta cuadrada. Además, cuando una se eleva, o desde lejos, no se nota la diferencia, y al principio —dicen las mayores— son más cómodas y fáciles de utilizar.

—Mamá ha dicho que puedo usar las otras —anuncia Laila. Era de esperar—. Ha dicho que no importa cuántas gaste.

Nadie se toma la molestia de contestar. Están demasiado ocupadas en coserse los lazos, o, mejor dicho, en ver dónde hay que coserlos, doblando el borde de la zapatilla hacia dentro para encontrar el punto justo donde comenzar. Coser ha resultado ser otro problema. Demetra ha dicho que Madame Olenska le había comunicado que era hora de que aprendiesen a hacerlo, para no tener que ir siempre a pedírselo a sus madres o a las costureras, que tienen mil cosas que hacer. Además, las bailarinas de verdad se ocupan de sus propias zapatillas, y ella no tiene ninguna intención de coser cuarenta cintas, porque no es una esclava; es una costurera. Es más, es la jefa de las costureras, ¡demonios!

Zoe no ha enhebrado un hilo en una aguja en su vida, y Demetra, observando sus patéticos intentos, ha dicho, secamente:

—Cielo, yo en tu lugar, antes de agujerear esas pobres zapatillas, haría algunas pruebas en casa con un trapo.

Con las otras, que no son sus «cielos», como Zoe, ha sido incluso más dura:

—Dejadlo estar, que es mejor.

Pero, naturalmente, ninguna se da por vencida, y muchos son los dedos pinchados, y muchas las gotas de sangre que caen, como en un cuento.

Zoe escucha el consejo de Demetra, y, en casa, le pide a mamá un trapo, hilo y aguja. Se pincha unas cuantas veces, las puntadas le salen grandes, flojas e irregulares, se cansa y lo deja. Después de media hora, recoge el amasijo de tela, el hilo y la aguja que antes arrojó al suelo y vuelve a intentarlo. Se vuelve a pinchar y se lamenta, pero no se da por vencida y, al final, consigue pegar un trocito de tela al trapo de forma casi aceptable. Tira luego para probar la resistencia, y después de tres tirones, el lazo se suelta. Enfadada, lo lanza todo al pasillo, fuera de su habitación. Pero luego lo recoge, ya que Marta va siempre descalza y puede clavarse la aguja.

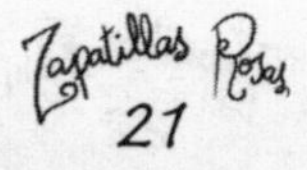

Mamá la sorprende allí, con el remolino de tela en la mano. Se percata de lo que pasa en seguida; a fin de cuentas, es la madre de una bailarina.

—Los lazos, ¿eh?

—Ya —dice Zoe, que no quiere aparecer desconsolada por un motivo tan estúpido. Pero un poquito sí que lo está.

—¿Me enseñas las zapatillas? —pregunta mamá.

Y Zoe se siente algo estúpida, porque con todo ese trajín por aprender a coser los lazos se ha olvidado de que las zapatillas están en la bolsa. Se encuentran aún dentro de las bolsitas de celofán, con el diseño inconfundible de la empresa que las confecciona: se trata del dibujo en color verde de una bailarina representada de cintura para abajo —naturalmente, de puntillas—, con la marca de fábrica debajo.

—Aquí están —dice, y se las da a mamá, que las coge con reverencia. Las apoya en la cómoda y saca una de la bolsita. En la penumbra del pasillo, el raso luce claro y brillante, casi luminoso. Mamá examina la zapatilla.

—Parece una pequeña barca —comenta, y luego añade—: Qué tonterías digo. Es que estoy algo emocionada; ¿tú no?

Zoe se lo pregunta a sí misma por primera vez en todo el día: ¿Estoy emocionada? Ha estado preocupada por que las zapatillas tuvieran la medida exacta, por los lazos, por la aguja desobediente que la ha distraído, y es como si se hubiese olvidado de lo más importante. O quizá ha sido una forma de defenderse de las emociones. Para no sentirse abrumada. De hecho, ahora que acaba de abrir la puerta a los sentimientos, siente como que algo le oprime la garganta. Tanto, que no consigue ni siquiera contestar a mamá, que deja la zapatilla que tenía en la mano junto a la otra (ahora no se ve diferencia entre ambas; no hay una para el pie izquierdo y otra para el derecho, será el uso el que determine cuál es para cada pie) y abraza a su niña, que está creciendo de muchas maneras. También sobre las puntas, incluso aunque todavía no haya utilizado las zapatillas.

—Son muy bonitas —le susurra al oído.

—Sí —consigue decir Zoe, y luego el nudo en la garganta se afloja y todo vuelve a ser normal. Casi.

—Los lazos. ¿Quieres que te los arregle yo?

—Demetra dice que...

Mamá no deja que termine.

—Demetra, Demetra. A mí no me importa hacerlo, de verdad. Y tiene que ser un trabajo bien hecho. Tienes mucho tiempo para practicar y aprender a hacerlo sola. Venga.

Y Zoe se rinde. Piensa que será muy bonito que los lazos de sus primeras zapatillas con punta los cosa mamá.

Pensamiento del libro de la bailarina:

Para llegar a ser bailarina hay que tener mucha paciencia. Se necesita muchísimo tiempo para aprender a hacer las cosas de forma correcta, según las reglas.

Madame Olenska ha hecho mucho hincapié en que deben ajustarse bien las zapatillas.

—Los lazos de las zapatillas blandas son de algodón, algo ásperos y se pueden hacer con ellos nudos fuertes —explica—. Los lazos de las zapatillas de punta, en cambio, son de raso, y suelen aflojarse. Esto hace que sea fundamental atarlos correctamente. Ni demasiado tirantes, porque os harían daño en las pantorrillas y os cortarían la circulación, ni demasiado flojos, porque la zapatilla floja

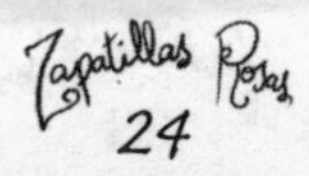

no puede obedecer al pie. Giménez, ¿quiere mostrar cómo se hace?

Y Giménez, sonriendo, coge de su bolsa negra un par de estupendas zapatillas de raso rojo, brillantes como joyas, y se las pone. Luego, apoyando un pie encima del banco, comienza a cruzar los lazos lentamente.

—Así..., así..., así —dice, con esa ese fuerte, larga y sustanciosa, que es un placer escuchar.

Parece un cuadro de Degas, piensa Zoe, observándola. Aunque en realidad, no, porque los cuadros de ese artista son de colores delicados, y las bailarinas van de blanco; como mucho, de rosa. No rojas y negras. Ha sido la pose lo que la ha hecho pensar en Degas.

Imitar a Giménez, después de algunas repeticiones del ceremonial de los lazos, no es fácil. Casi todas los han dejado muy flojos, y se sueltan con los primeros movimientos. Hay que volver a hacer todo desde el principio. Y otra vez, y otra. Pasa una hora sin que se escuche una sola nota musical, sin que se haga un gesto, un *plié,* un *port de bras*. Raro, muy raro.

—Qué aburrimiento —dice Leda, mientras se cambian—. Casi habría preferido hacer una hora intensa de barra.

—Ya sabes que a Madame Olenska le importan mucho los detalles —dice Zoe.

—Vale, pero podríamos practicar a atar los lazos en casa, solas, sin perder el tiempo. Encima, tenemos que ver a esa —hace un gesto con la barbilla hacia Laila, y, bajando la voz, continúa—: que, por supuesto, ya sabe hacerse los lazos rápidamente. La preferida de Madame Olenska. —Y le hace una mueca aprovechando que está de espaldas, recogiendo sus cosas.

—Porque he practicado en casa —contesta Laila—. Y también he ensayado el andar con las puntas.

—¿Quieres ir por delante, como siempre? —le suelta Paola, desde el banco de enfrente—. Si Madame Olenska dice que no debemos intentarlo solas, no debemos, y punto.

—¿Piensas ir a decírselo? ¿Eres una chivata? —le dice Laila, con una mueca despectiva.

—No suelo ser yo la chivata —replica Paola.

Laila se queda callada y, al poco rato, se va.

—¿Es que no va a cambiar nunca? —dice Anna, suspirando.

—No creo —dice Aliai—. Pero no importa.

—Claro que importa: siempre consigue estropearlo todo con su ambición por ser la mejor.

—Sí, es eso, ambición. No es bueno ser excesivamente ambiciosa. Déjala estar. Al final, me parece a mí, que es ella quien lo pasa peor —dice Aliai. Y Zoe, impresionada por tanta sabiduría, la mira con una mezcla de admiración y de sorpresa.

—¿Habéis andado con las puntas hoy? —pregunta Sara en la cena.

—Todavía no. Hemos tenido algún que otro problema con los lazos —dice Zoe, explicando lo complicado que resulta conseguir que esas inestables zapatillas se queden en su sitio.

—¡Vaya rollo! Por fin conseguís utilizar esas zapatillas y ahora tenéis que seguir esperando. ¿Estarás de los nervios, no?

—Bastante —admite Zoe—. Pero supongo que esto también es disciplina, en cierto modo.

—Disciplina, qué palabra tan fea —dice Sara—. Me vienen a la cabeza imágenes de los colegios del pasado donde pegaban a los niños con una varita.

—¿En el culo? —pregunta Marta, con mucho interés.

—No, generalmente en la mano o en la espalda. A veces, en las piernas, con ramas de sauce, de esas que parecen una fusta y que hacen mucho daño.

—¡Qué horror! —dice Marta.

—Pero la disciplina no es siempre algo malo. Significa aceptar las reglas porque entiendes que son importantes —interviene papá.

—Sí, vale, pero ¿dónde pones la pasión? Zoe tiene unas ganas enormes de andar sobre las puntas —dice Sara—. Y hacerla esperar tanto es un poco cruel. ¿Verdad? —concluye, volviéndose a Zoe.

Zoe reflexiona un momento, y luego dice:

—No lo sé. Claro que tengo ganas, pero como es algo que va a pasar dentro de poco con toda seguridad, no me importa nada esperar. Es como una chocolatina que sabes que va a estar muy buena y nunca quieres que se acabe. Antes de comértela, la miras y le das vueltas en la mano, no te importa esperar.

—¿Queda por casualidad un poco de chocolate del huevo de Pascua? —dice Marta, y todos se ríen. Sí, todavía hay mucho, envuelto en papel de plata. Y, todos juntos, se comen los trozos de chocolate que quedan. Al final la idea de Marta ha resultado ser muy buena.

Por fin, las primeras pruebas. Encaramarse cautelosamente sobre esos apoyos tan raros, sintiendo los pies muy pesados, muy inseguros. Conseguir que todo el cuerpo se mantenga encima de una superficie tan pequeña requiere habilidad, ¿no? Por suerte, está la barra salvadora a la que se le pide ayuda, y, poco a poco, se hacen los ejercicios con menos torpeza, incluso con desenvoltura. Se trata de mantenerse arriba, naturalmente, y de obligar a la planta de cuero del calzado a seguir la curva del pie. Las zapatillas son nuevas y, mientras el peso del cuerpo las modela, crujen un poquito. Por cierto, el raso se ensucia en seguida: basta pasar por equivocación el otro pie por encima para que se manche y pase de rosa a gris..., ¡y si intentas limpiarlo, es aún peor!

—¡Mira qué horror! —se queja Leda, envolviendo las zapatillas una con la otra en un ovillo—. Ya están para tirarlas.

—¡Venga, no exageres! —le dice Francine, que está mirando las suyas con la atención de un entomólogo que acabase de capturar una mariposa—.

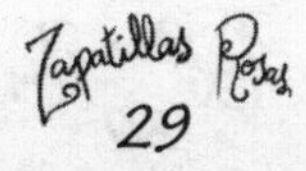

A mí me gustan así, algo usadas. Mara Simone las tiene siempre algo gastadas; ¿no lo habéis notado nunca durante los ensayos?

—Claro que sí. Pero ella ya tiene los pies de hierro. Probablemente, conseguiría ir de puntillas sin las puntas —contesta Estella.

—Y lo de sus zapatillas puede que sea una superstición, como un rito —dice Zoe.

—¿Una superstición? ¿Qué quieres decir? —le pregunta Sofía.

—Pues que puede que se ponga las zapatillas viejas para que el espectáculo nuevo sea un éxito.

—Qué rara eres —le dice Sofía, mirándola sorprendida—. ¿Cómo se te ocurren esas ideas?

—¿Tú no tienes nada que te dé suerte? —contesta Zoe.

—Claro que sí —responde Sofía.

—¿Y es algo viejo y gastado o una cosa nueva?

—Una cosa vieja —dice Sofía—. No te digo lo que es porque es un secreto.

—No, si no quiero que me lo digas. ¿Pero no ves que tú también eres un poco supersticiosa?

Sofía la mira. Da la impresión de que no la entiende. Pero las demás asienten, y por cada rostro

Leyendo y escuchando a la vez lo entiende mucho mejor:

Up and up you go
Farther and farther
And if by chance you fall down
You will learn to barter
Success is over there
It's not an easy prey
Matter or not matter
It's up to you to say...

Vas siempre hacia arriba.
Más y más lejos,
y si luego caes,
aprenderás a sostenerte.
El éxito está allí arriba,
no es una presa fácil;
que importe o no
lo tienes que decidir tú mismo...

verdad es que traducida suena de otra forma, e más banal, no tan hermosa, pero el significa s lo que cuenta, y tiene sentido, al menos a, porque le dice algo sobre lo que está vi- ir siempre hacia arriba para conseguir los

inmóvil y concentrado cruza un relámpago de complicidad.

Por la tarde, Jonathan está radiante. Espera a Zoe al final de las escaleras, la coge de la mano y hace que realice un giro.

—¿Qué te pasa? —le pregunta ella—. ¿Has conseguido una beca de estudios para Juilliard?

Juilliard es una legendaria escuela de Nueva York que sale a menudo en las películas y en las series de televisión. En ella se estudia danza, pero también interpretación y música: una escuela para artistas. Para todos es un sueño, aunque algo inalcanzable.

—No; es que el maestro Kaj es genial. Nos ha pedido que pensemos en una coreografía propia. La música es la misma para todos, Ravel. Pero cada uno podemos hacer lo que queramos. Quiere ver qué nos inventamos en diez días. Así que ahora me voy a comprar el CD y empiezo inmediatamente. Es guay que ahora vosotras empecéis con las puntas y que nosotros tengamos clases extra como esta. Muy guay.

Zoe siente algo de envidia, que se le pasa en seguida, porque también a ella el maestro Kaj y la

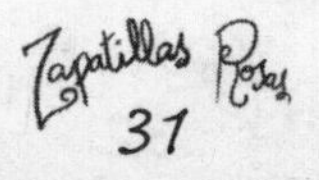

danza libre le encantan. Y está contenta por Jonathan, que de mayor quiere ser coreógrafo, y así tiene una ocasión para ponerse a prueba.

En la tienda de discos, mientras Jonathan se dirige inmediatamente a la sección de música clásica, ella se detiene en la de música moderna. Llama su atención una carátula con muchas vacas. El CD está situado en el número tres de la lista de los más vendidos, y se puede escuchar a través de unos auriculares que cuelgan de una columna. Los cascos están libres y, en un segundo, Zoe se encuentra envuelta por un mundo de sonidos nuevos, escuchando las palabras extrañas de una canción, que nada tienen que ver con las vacas de verdad. Las palabras discurren suavemente sobre las notas, y el cantante tiene una voz agradable y se entiende todo lo que dice; o casi, vamos. Habla del éxito, de subir hasta lo más alto y caer, y cosas semejantes. En un momento, casi sin pensar, Zoe se quita los cascos, coge el disco, se dirige a la caja y lo paga. Mientras espera a Jonathan, se da cuenta de que un chico con trencitas rasta está escuchando el mismo CD mientras mueve esa especie de fregona que es su cabeza al ritmo de la música. Dicen que no hay que lavar las trencitas rasta. Zoe, que se

lava el pelo un día sí y otro no, y en verano todos los días, no soportaría no hacerlo. Y, además, sería complicado hacerse un moño con esos pelos, ¿no? Se sonríe. Qué pensamiento más absurdo... Observa a la gente de todas las edades que está enchufada a las columnas de escucha (hay un montón, dos por pasillo), y todos hacen gestos mientras escuchan la música, y pulsan las teclas como si el volumen estuviese muy alto, aunque está claro que están ahí en busca de una canción. Y cuando l[illegible] encuentran sus rostros se iluminan. Da la imp[illegible] sión de que podrían quedarse ahí para siemp[illegible] escuchar lo que finalmente han encontrado.

En casa, después de cenar, Zoe, ya list[illegible] dormir, se pone los cascos, para no m[illegible] die, y enciende el lector de CD. Des[illegible] ha gustado el arco iris que se ve [illegible] empieza su loca carrera, y, en car[illegible] no entender cómo funciona el a[illegible] de las instrucciones vienen los [illegible] ciones, pero para ella son [illegible] mejor que sea así. Vuelve [illegible] las vacas donde no se ha[illegible] librito de las cancione[illegible]

objetivos que persigue significa correr riesgos, probarse a sí misma, entender qué cosas son de verdad importantes. Y, por tanto, algo que para una bailarina debería ser natural, como aprender a andar con las puntas, se convierte en un desafío personal. ¿Quién ganará? ¿Ganará alguien? ¿Será difícil? ¿Será posible? Claro que sí; todas las chicas (incluso Madame Olenska las llama ya siempre *chicas*, ¿no?) que quieren llegar a ser bailarinas aprenden a caminar con las puntas. Pero tal vez sea ese el momento en que uno se da cuenta de verdad de lo que quiere. Si tiene todo el talento y la capacidad necesarios. Si posee ese don y si ese es su camino. ¿Y si todo se desplomase? ¿Y si fuese ese el momento de cambiar de rumbo? *Matter or not matter / It's up to you to say*. Que importe o no, lo tienes que decidir tú mismo. Y si Zoe descubriese de repente que no le importa en absoluto la danza, ¿qué tendría que hacer? ¿Hay algo que le gustaría hacer por encima de todo?

No. Por el momento, no. Es la única respuesta que consigue imaginar. Tiene sueño, se quita los cascos justo antes de dormirse. La música sigue sonando en su cabeza y le sigue trayendo esos extraños pensamientos.

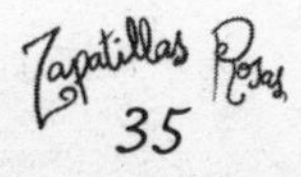

Una revelación

—¿Volvemos juntas a casa? —le pregunta Aliai a Zoe.

Ella repasa mentalmente sus posibles compromisos: Jonathan se queda en el colegio para trabajar en la coreografía, a Leda la vendrá a buscar su padre. Así que, sí que puede:

—De acuerdo —dice—, nos vemos a la salida.

En las últimas semanas Aliai y ella han pasado mucho tiempo juntas, pero de manera espontánea, sin pensarlo, sin buscarse. Han hecho un trabajo de Geografía juntas sobre algo aburridísimo: las fases climáticas de la Tierra. Pero repartiéndose las tareas ha sido más fácil y, al final, han sacado una buena nota. Leda ha dicho en broma: «Solo por esta vez, ¿eh?». Ella el trabajo —sobre el efecto invernadero y el calentamiento de la Tierra— lo ha hecho con Lucas, y han sacado un bien raspado, pero también parecían contentos.

Al final de las clases, mientras entra en su aula para recuperar un libro que ha olvidado en el pupitre, Zoe se pregunta si Aliai tiene algo especial que decirle. Y cuando la ve bajar las escaleras y acercarse hacia ella, se da cuenta de que sus pensamientos iban bien encaminados. Aliai está pensativa: sus grandes ojos tienen un tono algo más oscuro que lo habitual, y en el entrecejo le ha aparecido una pequeña arruga vertical. Sonríe, pero se ve perfectamente que se esfuerza. Andan una junto a la otra hacia la parada del autobús, hablando de nada en particular: las notas, los deberes para el día siguiente, el examen del martes, el color rojo que lleva Giménez en las uñas, que, luego, si las miras de cerca, tienen en el centro una pequeña mariquita con puntitos negros.

Como el autobús no llega, y está claro que Aliai se está poniendo nerviosa y no precisamente por el retraso, Zoe coge el toro por los cuernos. La mira a los ojos y le pregunta:

—¿Qué quieres decirme?

Aliai se pone colorada, sonríe y dice:

—¿Tanto se nota?

—Bueno, bastante —dice Zoe, respondiendo a la sonrisa—. Estás nerviosa desde hace un cuarto de hora. Es mejor que hables, así se te pasará.

—Ya —dice Aliai. Hace una larga una pausa, durante la cual llega el autobús. Suben, y encuentran sitio una detrás de la otra. Cuando cesa el ruido de las puertas al cerrarse, suspira profundamente y pregunta—: ¿Te acuerdas cuando te dije que me gustaba un chico y que estaba intentando que se fijase en mí?

—Claro —dice Zoe, que recuerda perfectamente el episodio.

—Bueno, pues se trataba de Jonathan.

Zoe mira a Aliai, que se sonroja: una especie de fuego rojo que le sube desde el cuello hasta las mejillas.

—Pero eso fue hace un siglo —dice—. Luego no has vuelto a hablar del tema y pensaba que...

—¿Creías que se me había pasado? Bueno, también yo. Pero cuando volví al colegio, después de haber estado mala, me di cuenta de que todo seguía igual. Solo que no me había percatado de que tú y él estáis juntos. Sois tan...

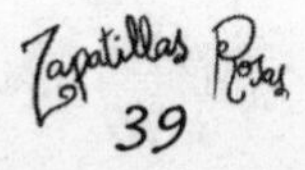

—¿Discretos? —sugiere Zoe.

—Sí, discretos. Es decir, no vais abrazados todo el rato, no estáis siempre solos, y nadie me ha dicho nada, por lo que creía que estaba todavía... libre. Después me he dado cuenta. Y ahora entiendo muchas cosas. Quería solo decírtelo porque por mí está bien... Tú eres mi amiga, y él es mi amigo, y sois muy buenos y cariñosos, y hacéis muy buena pareja. Me molestó algo al principio, pero luego le he dado vueltas y, de verdad, vamos, que ya lo he dicho, que por mí está bien. Jonathan me gustaba, y me gusta todavía, naturalmente, pero no en ese sentido. Me gusta como amigo. Y tú también me gustas como amiga. Así que quería aclarar las cosas, para que no te surgiesen dudas...

Aliai traga, se nota que le cuesta decir esas cosas. Zoe levanta una mano para detenerla y le dice:

—De acuerdo, de acuerdo. Vale. Ya has dicho suficiente. ¿O crees que soy algo dura de entendederas?

Aliai sonríe, tranquila.

—Claro que no, venga. Es solo que era algo difícil, delicado...

—¿Vuelves a la carga?

Aliai ríe de nuevo.

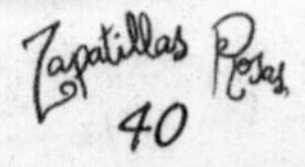

—No, no. Prometido. —Luego se pone seria y añade—: Estoy muy bien con vosotros; quiero decir, también con Leda y Lucas, habéis sido tan amables conmigo...

—Pero eso no es verdad —dice Zoe. Aliai la mira, algo sorprendida—. Quiero decir —continúa Zoe— que no vamos contigo por ser amables. Es porque nos apetece y ya está.

—Os lo agradezco mucho —observa Aliai—. En casa todavía me tratan como si estuviese enferma, ¿sabes? O, más bien, como una que se ha recuperado y se puede volver a poner mala de un momento a otro. Me estudian, me tienen en observación. Menos mal que vosotros no sois así. No lo soportaría.

—¿Pero tú ya sabes por qué caíste enferma? —hace mucho que Zoe quiere hacerle esta pregunta. Ahora le parece que es el momento apropiado. Espera.

—Creo que sí —contesta Aliai—. Porque pretendía demasiado de mí misma, pero de manera equivocada. Quería ser una bailarina perfecta, y consideré que ser una bailarina muy delgada era la forma más fácil de ser perfecta. Por lo que empecé a comer cada vez menos. Un poco estúpida, ¿eh?

—Tú no eres estúpida —le dice Zoe—. ¡Eh, que tienes que bajarte!

Y así termina esa conversación tan peculiar. Aliai se pone en pie de un salto, corre hacia las puertas abiertas del autobús y sale. Luego, se despide de Zoe con la mano antes de que se cierren las puertas y su imagen desaparezca.

Aliai no es estúpida. Es frágil, si acaso. ¿Soy yo frágil?, se pregunta Zoe, algo alarmada. Quizá lo soy y no lo sé. Tal vez el día que me encuentre pequeños obstáculos en el camino, algunas dificultades o desilusiones, no sea capaz de superarlos. O puede que se trate de un solo problema, pero enorme. Esperemos que no, se dice, y, de forma instintiva, cruza los dedos de la mano derecha que tiene en el bolsillo.

Es cierto; en su momento supo que a Aliai le gustaba Jonathan. Pero había sido hace un siglo, y había creído que era una de esas cosas que se dicen sin más. Había sido cuando parecía que todas las chicas de la clase tenían a la fuerza que estar enamoradas de alguien; a lo mejor, de dos o tres chicos al mismo tiempo. Ella ni siquiera había dado muchas vueltas al tema. De todos modos, las cosas se han arreglado solas, y es mejor así. Claro que —piensa Zoe— sería tremendo si a mí y a Leda nos gustase el mismo chico: ¿qué sería más fuerte, nuestra amistad o lo otro? ¿Y si tuviésemos que elegir? Esperemos que no suceda nunca.

Desde la parada hasta casa hay un paseo con árboles que crecen con dificultad, pero que, en compensación, han florecido sin problemas: están cubiertos de florecitas rosas, y los pétalos son tan ligeros que basta un poquito de viento para que se caigan todos, y toda la acera parece una alfombra rosa, y a cada paso se levanta una nubecilla en torno a los zapatos de Zoe. Qué derroche, piensa. Las flores están bien en los árboles. Puede ser tan cruel la primavera... Vibra el móvil en el bolsillo del pantalón. Es un mensaje de Jonathan. «Acabo de terminar. Estoy cansado. Pienso en ti». La primavera puede ser tan dulce...

Arabescos

—Madame Olenska dice hoy que no os pongáis las zapatillas con puntas. Poneos las blandas —anuncia Giménez, asomándose a la puerta del vestuario.

Todas se quedan mirando hacia la puerta, incluso cuando Giménez ya ha desaparecido como un rayo rojo y negro; y a estos colores se les suma, además, el blanco de su sonrisa deslumbrante rodeado por el pintalabios más encarnado del mundo.

—¡Vaya! —se queja Francine—. Ahora que comenzaba a acostumbrarme...

—¿Acostumbrarte? Pero si ni siquiera nos han salido ampollas...

—Y no he visto tampoco la sangre —comenta Stefanía, con cierta ferocidad.

—Hay también quien no sangra nunca. Es cuestión de clase —añade Laila. Obviamente, habla de sí misma. Ni una cabeza se vuelve hacia ella.

Calzarse las zapatillas blandas, que son tan blandas, y están tan gastadas y son grises y vulgares y cotidianas, después de ver cómo brillan las zapatillas con las puntas, es un disgusto para todas. Será solo una impresión, pero cuando se acercan a la clase en un desordenado grupo, parece que sus pasos son más pesados, como los de los paquidermos.

—Me gustaría que reforzásemos los *arabesques* —anuncia de inmediato Madame Olenska, cuando todas ocupan su sitio en la barra. También están los chicos, algo contrariados (al menos, es lo que traslucen Jonathan y Lucas), porque también ellos tienen que renunciar a la clase de danza libre, a la que ya se habían acostumbrado.

Los *arabesques* son un asunto delicado. Pocos pasos, pocas posiciones son capaces de expresar tanto. Y son todo lo contrario de lo que parecen. Un *arabesque* bien hecho es un desafío a la física. La pierna sube, pero la espalda no baja en proporción, baja solo un poquito. Es un prodigio de equilibrio en el que la inmovilidad se debe conquistar y mantener. Ningún temblor, ninguna vacilación y una sonrisa en los labios. Como si fuese algo normal estar así, colgando entre el cielo y la tierra.

La que mejor hace los *arabesques* es, sin lugar a dudas, Laila. Observándola (hacen los ejercicios de uno en uno para que Madame Olenska pueda controlar cada músculo y cada movimiento, y los demás tienen que mirar, porque también así se aprenden), Zoe piensa en una muñeca articulada, como la Barbie, a la que le puedes hacer lo que quieras y modificar a tu gusto, hasta lo imposible, las articulaciones de las piernas y de las rodillas. Es como si una enorme mano invisible moviese las piernas de Laila de un punto a otro en el espacio (y, si se escucha con atención, se percibe incluso el ruido del plástico acompasando los movimientos: *tac-tac*, *tac-tac*) y las detuviese en esa posición inverosímil. El cuerpo y las piernas forman una V amplia pero precisa; no se advierten dudas en los gestos de Laila; es una máquina haciendo *arabesques*.

—Bien —murmura Madame Olenska, sin ni siquiera rozarla, sin corregir nada. Y sigue adelante.

Cuando le toca a ella, Zoe se esfuerza al máximo. Le gustaría poder verse, pero no está permitido, así que se centra en los músculos, que parece

que gritaran al estirarse, y se concentra en el equilibrio, que *tiene* que mantener.

—Bien —concede Giménez, y Madame Olenska se limita a aprobar con la cabeza. Zoe no puede ver a su profesora muy bien, porque no debe dejar de mirar fijamente al punto que tiene delante. Percibe solo una sombra que se mueve apenas dentro de su campo de visión, pero esa aprobación es lo que le sirve, y entonces el *arabesque* podría durar una eternidad: ya nada ni nadie la puede mover, distraer o perturbar, y, en ese instante de absoluta, total seguridad, Zoe se siente grande y fuerte y capaz de hacer cualquier cosa. ¿Es posible que un ejercicio bien hecho pueda proporcionar esta sensación? Sí que lo es. De verdad. Y cuando Madame se adelanta y se detiene delante de Francine, y Giménez roza el brazo de Zoe para indicarle que puede relajarse, ella se demora en la perfección, la disfruta, la saborea, porque es obra suya.

—Mira qué bonitas. Se llaman *mules* en francés, y *slippers* en inglés. Mamá dice que este verano serán *los* zapatos. Si no los tienes, no eres nadie.

Leda, como siempre, presume de algo que ella ya tiene y que los demás no, pero lo hace con tal entusiasmo infantil que no molesta, si acaso hace sonreír. Sí, resulta infantil: Zoe cree que a su edad ya hay ciertas cosas que ya no se deberían hacer... Y eso confirma que ya no son niñas, que se están transformando en chicas jóvenes —como dicen los mayores, en señoritas—. ¿De verdad? ¿Sin posibilidad de vuelta atrás?

De todos modos, estas *mules* o *slippers* se parecen, aunque nadie se atreva a comentarlo, a otra cosa, y Zoe lo dice:

—A mí me recuerdan a las zapatillas de andar por casa. —Porque por delante tienen la punta redonda, y por detrás, nada. Zoe nunca las lleva; nadie en su casa las utiliza, porque mamá no las soporta: dice que avejentan, así que en casa van todos descalzos.

—¿Zapatillas de andar por casa? —El gesto despreciativo de Leda es exagerado, y también infantil, aunque parece que está de broma—. Si acaso llámalas *zapatillitas;* venga, admítelo, son preciosas, ¿verdad?

Zoe, sentada junto a Leda en su cama, cubierta por un edredón rosa claro, se dedica durante unos

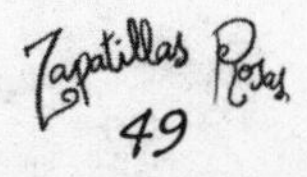

segundos a la escrupulosa observación de los objetos en cuestión. Sí, lo tiene que admitir, son preciosas, de tela brillante (¿raso?, ¿seda?) de color rojo fuerte, con una hilera doble de perlitas del mismo color alrededor del borde y otras, minúsculas, esparcidas por todo el tejido, imitando una especie de prado. Un hilo dorado traza dibujos precisos y complicados: arabescos; eso es.

—A ti también te gustaría tener unas, ¿eh? Si te portas bien, le pregunto a mamá dónde las ha comprado y te llevo —dice Leda.

—¿Y qué tengo qué hacer para portarme bien? —pregunta Zoe, de broma.

—No lo sé. Organizar una de nuestras salidas de a cuatro, por ejemplo. Esta vez te pido por favor que dejemos a Aliai en casa. Cinco es un número incómodo para ir a dar una vuelta. Hay siempre alguien de más.

—Generalmente, eres tú la organizadora oficial —dice Zoe, mientras estudia a su amiga, que parece, de pronto, algo cortada; cambia de postura, se encoge, abrazándose las rodillas, apoya en ellas la cabeza y, al final, después de un rato, dice:

—Sí, lo sé. Pero no me apetece.

—Querrás decir que estás disgustada por algo.

—No, no es eso. Es solo que...; mira, me gustaría que te ocupases tú, porque no tengo ganas de llamar a Lucas. Con él me corto siempre.

Esta vez Zoe se preocupa de verdad. Si hay alguien con quien nadie se siente cortado, ese es Lucas. Arquea una ceja, luego la relaja y aparece en su rostro una ligera sonrisa.

—No me digas que te has enamorado.

Leda se pone colorada. Le tira un cojín con encajes que ella esquiva sin esfuerzo y luego dice:

—No exageremos. Digamos que he empezado a verlo con otros ojos. Es raro, ¿sabes? —Y se pone algo más seria, por lo que Zoe deja de sonreír y atiende a lo que Leda le va a decir—. Antes ni siquiera lo veía. Lo miraba, pero no lo veía. Era como si formase parte del paisaje, no lo sé. Algo así. Luego, un día, me di cuenta de que le miraba las manos. ¿Has notado qué bonitas son sus manos?

Lucas es el mejor amigo de Zoe, pero, francamente, en este momento tiene dificultad para recordar esas manos tan extraordinarias.

—¿Y las muñecas? Son tan elegantes... Y ese color de su piel, no hay un bronceado que lo pueda imitar.

Faltaría más, piensa Zoe. Lucas es medio negro, mulato, que no es lo mismo que estar bronceado. Hay una gran diferencia. Pero se cuida bien de decirlo. Porque si Leda no está enamorada, como dice, falta poco, muy poco. Y las personas enamoradas no soportan que se les contradiga.

Cenan juntas, con la mamá de Leda que revela, sin ningún problema, el sitio donde se compran las zapatillas y le sirve una pizza exquisita, que ha encargado en un sitio que acaban de abrir. La de Leda tiene atún y pimientos, Zoe ha pedido una margarita, y luego hay helado, nata con chocolate, un clásico, con algunas avellanas troceadas por encima, ¡qué delicia! Zoe se queda a dormir en casa de Leda. De vez en cuando, pasan la noche juntas en casa de una o de otra. Generalmente, Zoe prefiere quedarse en la de Leda, y no al contrario: en su casa hay demasiadas mujeres; en cambio, aquí todo es mucho más tranquilo, tranquilo y solitario. Antes de dormirse, suelen charlar mucho, pero hoy no; aunque Zoe se da cuenta, gracias al resplandor de la lucecita quitamiedos (Leda dice que no puede evitar usarla porque es hija única), de que su amiga todavía no ha cerrado los ojos. A tientas, desde la cama de al lado, que han sacado de dentro de un puf fucsia, busca la mano de Leda y la coge. No dice nada. Leda la aprieta y calla. ¡Cielo santo! Su mejor amiga se ha enamorado de su mejor amigo. ¿Y ahora qué?

Ahora, nada. Consiguen organizar una salida típica para el sábado siguiente: estos días hay un montón de deberes y controles, y durante la semana no hay tiempo para ir al cine por las tardes. Leda vive la espera eterna atormentando a Zoe con sus cambios de humor. Si ahora se emociona con una de las miles de virtudes que de repente ha descubierto en Lucas, al momento siguiente se muestra preocupada: ¿estás segura de que le caigo simpática?, ¿porque por lo menos le resultaré simpática, no? Y ¿no te ha dicho nunca nada bonito sobre mí?, ¿pero tampoco te ha dicho que le gusta otra, verdad? Dispara una pregunta detrás de otra. Zoe se cansa, no sabe qué responder; sobre todo, porque muchas de estas preguntas no tienen respuesta, y entonces se las tiene que inventar, y no le apetece inventarse nada, porque, vamos, ella también está muy unida a Lucas, y atribuirle pensamientos alegremente no es algo que se debería hacer, por lo menos no a un amigo. Es todo tan complicado, se podría decir que es como un arabesco mental.

Está tentada de decirle a Leda que se las apañe sola: «Es algo que depende de ti y solo de ti; yo no tengo nada que ver, no te puedo ayudar»; pero luego adopta la conducta más sencilla y práctica, que es escuchar sin hacer comentarios, porque entiende que Leda tiene, sobre todo, necesidad de ser escuchada. Y luego pasará lo que tenga que pasar.

La tarde de la famosa cita, para ir al centro, los cuatro tienen que atravesar, andando, un parque, cuando, de repente, se desencadena el temporal más violento que Zoe recuerde. El chaparrón es tan violento y repentino que los cuatro, que apenas si se ven entre sí, separados por cortinas de agua gris, se dividen, y quedan reagrupados de dos en dos. Así, Zoe y Jonathan terminan por encontrar un refugio (ha sido él quien la ha cogido de la mano, casi a rastras: sabía dónde ir) en una especie de templete redondo, un quiosco, junto a una madre con dos niños pequeños —uno sentado en una sillita y otro de pie sobre un patinete enganchado al carro—. Los niños están nerviosos, quieren irse de allí y su madre ya no sabe cómo calmarlos. Al final, son Zoe y Jonathan quienes los distraen poniéndose a jugar con ellos. El temporal se prolonga más de la cuenta. En un momento dado, parece que va a terminar, pero en seguida recobra fuerza, y así, al aire libre, los truenos impresionan más. Por suerte, los niños no se dan cuenta, porque Jonathan está imitando a todos los animales del Arca de Noé, desde el primero hasta el último, y, como lo hace como un bailarín, ellos están ensimismados mirándolo —y también su mamá está encantada—. Así, cuando para de llover, los niños le piden que lo vuelva a hacer, y cuando Jonathan termina de repetir su actuación, ya ha salido el sol. La mamá y los niños se alejan, dándose la vuelta mil veces para saludarlos con la mano. Entonces, Zoe recuerda a sus amigos:

—¿Dónde se habrán metido Leda y Lucas?

Zoe no conoce la respuesta a su pregunta hasta esa noche, porque no les responden a sus mensajes de texto y ni Jonathan ni Zoe se atreven a llamar. Así que regresan al quiosco y allí se quedan, susurrándose cosas bonitas mientras el sol va se-

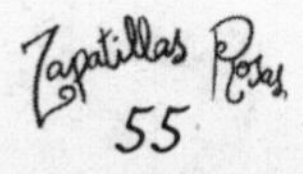

cando el césped y los árboles del parque, que, después de la ducha, está muy fresco y lleno de brillantes y nítidos colores. Por tanto, no se puede decir que la tarde haya sido un fracaso: es más, Zoe piensa que habría sido un horror estar presenciando los intentos de conquista de Leda, que cuando tiene algo en la cabeza se vuelve insoportable hasta que lo consigue. Ya más tarde, en casa, suena el teléfono, y responde papá:

—Es Leda, para ti; ¿lo coges aquí o en el pasillo?

Sentada con las piernas cruzadas, contra la pared, Zoe escucha lo que Leda le cuenta y, mientras, enrolla el hilo del teléfono con el dedo (no hay duda de que el inalámbrico es cómodo, pero estar así, hablando por el teléfono fijo, también resulta agradable). Es como ver un tráiler, que te muestra solo algunos trozos de la película montados sin mucha lógica, con frases que quedan unidas sin sentido, para crear curiosidad y que te apetezca ver la película y unir los fragmentos. En su narración de lo ocurrido durante el tiempo que duró el temporal, a la vez breve y larguísimo, Leda también va adelante y atrás, y Zoe consigue entender algunas cosas sin orden alguno:

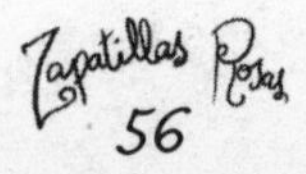

- que las *mules* o *slippers* o zapatillas para andar por casa hay que tirarlas porque Leda las llevaba puestas y son de las que se estropean si se mojan;
- que Lucas ha sido un auténtico tesoro (palabras textuales);
- que la vida es maravillosa;
- que la vida es complicada;
- que no sabe.

Zoe entiende sin tener que preguntar lo que significa «que no sabe». «No tengas prisa», le dice a Leda, con una sabiduría que más tarde, cuando piensa en ello, le entran ganas de reír. Seguro que Leda tiene prisa. Está acostumbrada a tener enseguida lo que quiere. Debe de ser porque es hija única. O porque es su carácter. O las dos cosas. Pero en estos asuntos los dos implicados tienen que querer lo mismo, y es ahí donde surgen las complicaciones, ¿no? Arabescos, arabescos. Nada de líneas rectas, simples, definidas. No. Solo rizos. Después de la charla telefónica, a Zoe le gustaría mucho escuchar la versión de Lucas, entender qué es lo que ha pasado de verdad, o, al menos, saber qué ha pasado desde el punto de vista del muchacho, lo que, de todos modos, no sería la verdad objetiva, o quizá sí. Siente curiosidad, pero entre tener curiosidad y ser indiscreta hay un paso muy pequeño, que ella no está segura de querer darlo. Así que deja el teléfono con el cable muy enrollado (arabescos, arabescos) y se va a dormir bastante divertida, algo preocupada (pero poco) por Leda, y más bien contenta, porque, por lo menos para ella, si lo piensa bien, ha sido una tarde deliciosa.

Pensamiento del manual de la bailarina:

Los arabescos son a la vez complicados y sencillos. Son un poco el símbolo de la vida de una bailarina: hacer que las cosas complicadas parezcan simples. Y no es tan fácil.

Comunicar

AGNESE.—Mientras hablo contigo estoy mirando el mar. El atardecer. El cielo es rojo con una franja azul en la parte de arriba y una rosa en el horizonte. De lo más romántico.

ZOE.—Como ves el atardecer en el mar trescientos sesenta y cinco días al año, imagino que estarás cansada de tanto romanticismo.

AGNESE.—Qué va, no lo veo trescientos sesenta y cinco. No se pueden contar los días que estoy en la montaña. ¿Habéis decidido ya si venís este año?

ZOE.—Sí, mamá acaba de confirmar la reserva.

AGNESE.—Genial.

ZOE.—No ha tenido más remedio. Yo dije que quería ir a otro sitio, pero aquí se armó una…

AGNESE.—¿Adónde querías ir?

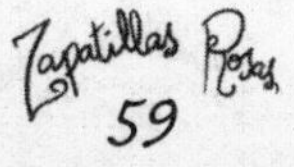

ZOE.—A una casa rural lejos de todo. Pero Sara dijo que se pondría en huelga de hambre, y Marta se puso a gritar.

AGNESE.—Y seguro que tú te quedaste callada esperando a que se desahogasen, ¿a que sí?

ZOE.—Bueno, ellas solas ya montaban bastante escándalo. Y, además, mis posibilidades de éxito eran nulas.

AGNESE.—Y yo te hubiera estrangulado. Es broma: ya sabes que siempre puedes venir a casa unos días.

ZOE.—Sí, pero tendré mi propia casa, casi mejor.

AGNESE.—Sí, es verdad. Así al menos por la noche no te tengo que aguantar. ¿Y Jonathan?

ZOE.—Jonathan, ¿qué?

AGNESE.—Que si pasaréis el verano juntos.

ZOE.—¡Qué dices! Espero que estés de broma.

AGNES.—Claro, tonta. Si vinieras con tu novio, sería un rollazo.

ZOE.—No lo llames novio.

AGNESE.—¿Por qué? ¿Es que no es tu novio?

ZOE.—...

AGNESE.—No dices nada, ¿eh?

ZOE.—Mejor cambiamos de tema.

AGNESE.—¿Quieres que hablemos del tiempo?

ZOE.—No. Mejor, hablamos de tus novios.

AGNESE.—Pues no hay nada que contar. Pero no importa. Digamos que, por el momento, estoy muy ocupada con el colegio y con otras cosas, y no tengo tiempo para novios.

ZOE.—Pero si solo hace unas semanas me hablabas de un compañero de clase de tu hermano...

AGNESE.—Pasa algo en la línea..., oigo interferencias..., ruidos raros...

ZOE (riendo).—Sí, claro. ¿Te vas a hacer la misteriosa conmigo?

AGNESE.—Viene con nosotros a la montaña. Bueno, con mi hermano.

ZOE.—Perfecto. Así lo conozco.

AGNESE.—¡Tranquila! Vaya con las bailarinas, parecéis tan frágiles y luego...

ZOE.—¿Qué?...

AGNESE.—No, nada. Que aunque no lo parezca, tenéis las cosas bien claras...

ZOE.—¿Pero qué dices? ¡Si nunca sé si lo que hago está bien o no...!

AGNESE.—¡Venga! Claro que lo sabes.

(Se oye una voz en segundo plano).—Por favor, ¿quieres colgar, que tengo que hacer una llamada de trabajo?

AGNESE (con prisa).—Perdona, es mi madre. Quiere que cuelgue. Ya hablamos. Un beso.

ZOE.—Otro para ti.

ROSSELLA.—Soy Rossella, ¿está Zoe, por favor?

ZOE.—Soy yo.

ROSSELLA.—¿Qué te pasa, es que te está cambiando la voz como a los chicos?

ZOE.—No seas tonta. ¡Qué bien que me hayas llamado!

ROSSELLA.—Sí, porque si espero a que me llames tú...

ZOE.—¿Qué pasa? No estamos compitiendo para ver quién llama antes.

ROSSELLA.—Tienes razón, perdona. Quería saber si te apetece venir a ver mi actuación musical. La hacemos antes de fin del curso porque algunos de los que participan tienen que estudiar para los exámenes. Yo creo que te gustará. No es el típico rollo en el que hay niños pequeños menores de diez años. Solo mayores.

ZOE.—Vale. ¿Cuándo es?

ROSSELLA.—El jueves por la noche, dentro de una semana. Si te parece bien, te pasamos a buscar nosotros. Y si quieres venir con alguien, dímelo hoy para que reserve sitio, ¿vale?

ZOE.—De acuerdo, te mando un mensajito.

ROSSELLA.—Perfecto. Adiós.

ZOE.—Hola.

JONATHAN.—Hola. Qué raro hablar contigo por la noche.

ZOE.—Es algo urgente.

JONATHAN.—¿Qué ha pasado?

ZOE.—No, no es nada grave. Es solo que quería..., me preguntaba... vamos, si te apetece venir a una actuación musical conmigo la semana que viene.

JONATHAN.—¿Quién toca?

ZOE.—Rossella, una amiga mía. Toca el saxo.

JONATHAN.—Una chica que toca el saxo, ¡qué fuerte! ¿Cómo vamos?

ZOE.—En coche, con ella y sus padres.

JONATHAN.—Espera, que se lo pregunto a mi madre. (Después de un rato). Ha dicho que vale.

ZOE.—¡Qué bien! Será genial. Rossella es muy simpática.

JONATHAN.—Sí, pero no creo que me dé tiempo a conocerla mucho. Antes de la actuación estará muy nerviosa, y luego tendremos que volver a casa en seguida. ¿O pensabais ir a tomar algo en un local del centro?

ZOE.—¡Tonto!

JONATHAN.—Me gusta cuando me llamas tonto.

ZOE.—Eres todavía más tonto cuando dices estas cosas.

JONATHAN.—Lo sé.

ZOE (riendo).—Menos mal.

JONATHAN (serio).—Buenas noches.

ZOE (seria).—Buenas noches.

Una vez que envía el mensajito a Rossella, tumbada encima de la cama con el móvil apoyado sobre la barriga como un gato que ronronea (y lo hace de verdad, cuando Rossella contesta), Zoe piensa que desear las buenas noches a alguien es una cosa seria. Es como si uno lo acompañase mientras se duerme, en ese territorio misterioso donde todo puede suceder (los sueños son una de las cosas más raras e imprevisibles del mundo), hasta dejarlo presa de sus pensamientos en medio de la soledad, pero con un deseo afectuoso, un de-

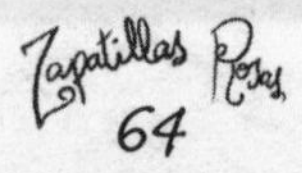

seo sincero de que la noche sea algo bonito para el otro. La noche no es solo dormir. A veces, se pasa en vela, cuando se tienen preocupaciones. Puede haber también pesadillas. Cuando era más pequeña, Zoe soñaba a menudo que caía de un sitio muy alto, y se despertaba, sobresaltada, con la sensación de estar aplastada, por suerte, no en el suelo, sino en el colchón, donde rebotaba. Se le aceleraba el corazón y tardaba un poquito en calmarse. Ahora, afortunadamente, hace tiempo que no le pasa.

Luego, apaga el móvil —esta noche ya no lo va a necesitar más—, y se da cuenta de que no le gusta mucho llamar por teléfono; prefiere los mails o los mensajitos, o ver a las personas con las que habla, observar las expresiones, entender qué sienten. Piensa que le gustaría recibir una carta de amor, como las chicas de antes, pero no es algo que se pueda pedir, ¿no? Y, además, Jonathan todavía no domina el italiano escrito y estaría llena de faltas y pondría las letras dobles y las haches en los sitios equivocados. Y a lo mejor le entrarían ganas de reír y se pasaría el encanto. O tal vez no.

Entra mamá para darle las buenas noches, otras buenas noches de esta noche tan larga.

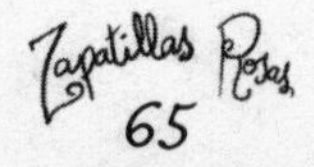

—¿Estás bien, ratoncito? —le dice, sentándose en el borde de la cama para despeinarla un poquito. Hace mucho tiempo que no la llama ratoncito.

—Hace mucho tiempo que no me llamas ratoncito —comenta Zoe, casi sin pensar.

—Tienes razón —dice mamá—. Se me ha escapado. Generalmente, me aguanto. Pienso que a lo mejor no te gusta más. Estás creciendo, y no puedo seguir tratándote como mi niña pequeña. Aunque, claro, siempre serás mi niña pequeña.

Ahí está. Mientras habla, mamá la mira a los ojos. Incluso en la penumbra, ve ternura en su rostro y, también, que está un poco cansada, algo habitual en una noche entresemana, cuando todavía no hay tiempo para relajarse y hay que trabajar duro un poco más, algún día más, hasta que llega la pereza del sábado por la mañana. Me gusta lo que veo en su expresión, piensa Zoe. Y luego se pregunta: ¿Yo qué muestro en mi cara? Quizá nada. Puede que sea inexpresiva como una marioneta que tiene siempre la misma mirada; a lo mejor soy como Laila cuando sonríe mientras realiza los *arabesques* más exquisitos del mundo.

Quiere saberlo.

—Mamá, ¿tú sabes lo que pienso? Por la cara, digo.

Mamá se queda algo sorprendida. Reflexiona. Dice:

—¿Ahora o en general?

—En general.

—Diría que sí. Hay personas que disimulan muy bien lo que piensan. Es como si tuviesen siempre una máscara puesta. Es para defenderse de los sentimientos, creo. Y hay personas que son transparentes. Tú eres más bien transparente. Ahora, por ejemplo, en tu cara leo que estás cansada, que eres curiosa, que estás pensando siguiendo tus propios razonamientos, que me quieres, que estás contenta de que esté aquí... ¿Me equivoco?

—No. Has «leído» casi todo —dice Zoe.

—¿Qué falta? —pregunta mamá, con curiosidad.

—Solo una cosa: que me gusta cuando me llamas ratoncito. Me sigue gustando, de verdad.

Silencios

Leda no habla. De Lucas, claro. Y como Zoe es discreta por naturaleza, no pregunta, y Leda continúa sin hablar de él. Por otro lado, sus miradas son bastante significativas: no le quita la vista de encima al chico, que está sentado en la segunda fila, mientras que ella y Zoe están al fondo. Leda no se pierde ningún movimiento de Lucas: el estremecimiento de un músculo; el cambio de posición de los codos dentro de la sudadera; el tocarse el cuello con los dedos, que es un gesto típico de Lucas desde que Zoe lo conoce, prácticamente desde siempre. Zoe se pregunta cómo puede mantenerse él impasible, sin sentirse traspasado por esa mirada de Leda que parece que le quiere robar sus secretos... Pero, a decir verdad, en una espalda no hay muchos secretos; puede que haya solo algo de misterio; al menos esto es lo que piensa Zoe mientras observa la espalda de Lucas para intentar comprender lo que siente Leda, qué es lo que piensa obtener. Sospecha que se contenta con eso, que le gusta estar enamorada y que esta es la parte más bonita del juego —porque no consigue no verlo como un juego, una especie de pantomima como las que se celebran a veces a la llegada de la primavera o al principio del verano, cuando se colocan lazos de colores en palos altos en las plazas de los pueblos y se representan los ritos de cortejo de los jóvenes campesinos y campesinas.

Zoe recuerda muy bien la prueba del año pasado, cuando los de tercer curso superior bailaron algo de ese estilo, una pieza titulada *Midsummer,* que quiere decir 'mitad de verano', y las chicas, guapísimas con los vestidos de talle alto y los gorritos a juego, típicos de la Inglaterra de finales del siglo XVII, jugaban a emparejarse con los chicos (ellos iban sobriamente ataviados con una malla negra y una camisa blanca abierta por el cuello) y, al final, terminaban girando alocadamente alrededor del palo de la fiesta. El vestido más bonito era el de Lucilla: amarillo vivo con una cinta de colores en la cintura; parecía un sol en pequeñito. En el cameri-

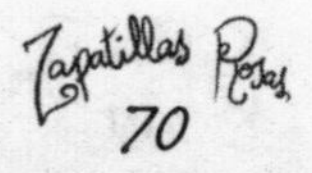

no, Zoe le pidió probarse el gorrito, y su imagen en el espejo con la cabeza cubierta le pareció muy diferente de la habitual, como remota en el tiempo, antigua, y el rostro, algo más afilado.

Pero está divagando, como siempre. Los pensamientos son imprevisibles, comienzas en un punto y llegas a otro, distinto y lejano; esto es lo bonito que tienen, su imprevisibilidad. Leda no habla, piensa Zoe. O, mejor dicho, habla de otros temas. Aunque, en cierto sentido, habla solo de *su* tema:

—Ayer por la noche vi *Romeo y Julieta* en DVD. Claire Danes no es que sea muy guapa que se diga; tiene la cara rara y algo redonda, pero lo hace muy bien... Él estuvo genial, Leonardo, digo; pero era de esperar.

O, si no:

—Mira. —Y le pasa el diario de hace unos meses abierto por dos páginas que han permanecido increíblemente libres de garabatos y por eso han sido elegidas como lugar perfecto para redactar una poesía, escrita con tinta lila y una caligrafía especialmente cuidada:

En la tienda del amor
compro un helado en forma de sol
(el sol de verdad
tiene menos color;
el amor de verdad
no tiene avellanas).

—Bonita, ¿eh?

—Sí, muy bonita. ¿De quién es?

—¿No lo pone? Creí haberlo copiado. Pues no me acuerdo.

—Estaría encantado el autor si supiese que ni siquiera recuerdas su nombre… ¿Tú qué crees que quiere decir?

—Ah, no lo sé. No tengo ni idea. Me gustaba el sonido de las palabras. Y me gusta eso de las avellanas.

—También a mí.

—Quizá porque me gustan las avellanas.

—Qué tonta.

¿Y Lucas? No parece haber cambiado: sigue bromeando con todos y con ganas de divertirse. ¿Es posible que los chicos no piensen en nada más que en jugar?, se pregunta Zoe. Suena el timbre del recreo y salen todos corriendo, al pasillo si llueve, y si no al jardín, a darle patadas a un balón, a corretear tras él.

—Están hechos de otra pasta, baby —le puntualiza Leda cuando expresa en voz alta su pensamiento.

—Cuando te comportas como una diva sabionda eres insoportable —le recrimina Zoe. Y ríen. Luego, salen también a jugar, porque a fin de cuentas es primavera, y un balón es un balón, y el recreo dura muy poco, y al sol se está estupendamente.

En clase, Madame Olenska no le grita a nadie, pero tampoco alaba a nadie. Se limita a lanzar miradas tan penetrantes que te perforan, aunque su expresión es, por extraño que parezca, inescrutable. Así, una no sabe si estar contenta (me mira, pero si no dice nada quiere decir que lo hago bien, ¿no?) o preocuparse (me mira, estoy segura de que lo estoy haciendo fatal; un momento, voy a intentar hacerlo mejor; pero ¿por qué no me mirará ahora que me estoy esforzando más?). Por suerte, está Giménez. De vez en cuando, se quedan solas con ella cuando alguien reclama desde la secretaría a Madame Olenska por un motivo urgente. Antes, mucho antes de Giménez, nadie se habría atrevido a interrumpir una clase de Madame. Pero ahora que está Giménez, los ejercicios continúan incluso sin ella, y, así, cuando sale del aula tras el nerviosísimo secretario de turno, es como si la atmósfera se descomprimiese un poquito, como si todas juntas exhalasen muy bajito un pequeño suspiro de alivio. Giménez es más generosa con las palabras. Y, sobre todo, es generosa con los ejemplos. Cuando todas están apoyadas con ambas manos en la barra y se levantan sobre las puntas, pasa una por una poniendo derechas las espaldas, haciendo girar las rodillas, desplazando un poco los talones con la mano.

—Así, hacedlo así —dice. Y se coloca entre dos de las chicas con sus fantásticas zapatillas de raso rojo, y se agacha manteniéndose derecha, y se agacha todavía más, y, mirándola, parece que una entiende todo de repente: «Pero ¿será así, tan fácil?, espere un momento que lo hago también yo, así, así está bien, ¿verdad?».

Generalmente si lo haces bien, ella asiente, sonríe. Su sonrisa de revista, tan blanca y roja que parece de mentira, parece una bandera que ondea como si celebrase una victoria: «Venga, que podéis hacerlo; venga, casi lo habéis conseguido». Haydée, en el vestuario, confiesa que daría cualquier cosa por tener unas zapatillas rojas como las de Giménez:

—Con un tutú negro como el de Odile en *El lago de los cisnes*, y las medias negras, y una cinta roja en la cintura. ¿Os imagináis qué elegante iría?

—Yo pienso que son demasiado llamativas —dice Laila, inclinada sobre sus pies desnudos, mientras se aplica un masaje con una crema secreta (tan secreta que la extrae de un bote al que le ha quitado la etiqueta, de forma que nadie pueda comprársela) que huele a menta fuerte y recuerda los virulentos resfriados del invierno. Dice que con esa crema la piel se robustece, y, en efecto, es a ella a la única a la que no le salen ampollas. A Francine, en cambio, ha sangrado un poco, pero se trataba solo de una ampolla un poco más grande que el resto, a la que le arrancó la piel sin darse cuenta. Por eso sangraba: nada dramático, nada de uñas que se caen o heridas que no se curan y que sangran continuamente o cosas parecidas. Vamos, la tragedia que todas temían no ha ocurrido. Por otro lado, también es verdad que van con mucho cuidado, con pies de plomo, diríamos, si no fuese algo inadecua-

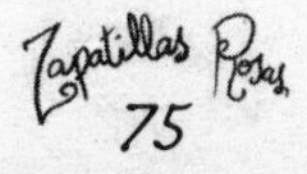

da la expresión, ya que los pies de una bailarina deben y pueden ser de cualquier cosa menos de plomo.

De regreso en el aula, Madame Olenska guarda silencio y las observa con esa mirada suya intermitente que, por lo general, dice todo pero que esta vez no dice absolutamente nada. ¿Es posible que ella, justamente ella, no tenga nada que decir? Zoe tiene la sensación de que todas están siendo examinadas como siempre o incluso más, y que el silencio esconde —o revela— el deseo de Madame Olenska de conocerlas a fondo, de evaluar con extremo rigor aquello que están consiguiendo llegar a ser. Un silencio amenazador; ¿tal vez como ese silencio solemne y profundo del rayo que corta el cielo a la espera del trueno, que sobreviene ensordecedor? No. No es esta la sensación que experimenta Zoe. Se siente serena, no amenazada como cuando llega un temporal. Porque sabe que Madame Olenska es una persona justa, alguien que no juzga a la ligera. Sabe también que el esfuerzo no es suficiente; ahora está cercano el momento en que hay que mostrar y demostrar el propio talento, siempre y cuando se tenga. Pero el talento es algo que ni se compra ni se estudia: se tiene o no se tiene.

¿Tengo talento?, se pregunta entonces Zoe ante el espejo. En silencio, porque para hablar con uno mismo son suficientes los pensamientos. El hecho de que no haya nada más en el mundo que la apasione aparte de la danza le da en qué pensar. En el fondo, todos (o casi todos: a excepción de Laila, pero ella no es un ejemplo que imitar) tienen otras pasiones y aficiones: a Leda la entusiasma la ropa; a Anna y a Paola, los chicos y el amor. Aliai lo sabe todo acerca de los insectos; Zoe lo descubrió al oírla contar un montón de detalles sobre la vida de las libélulas cuando una entró en el aula por la ventana abierta sembrando un pánico injustificado, la pobrecilla. Y a Sofía le encanta el fútbol: es la única que puede mantener una conversación con los chicos en las discusiones interminables de los lunes después del partido. ¿Y yo? ¿Yo nada? ¿Nada de nada? Y si, por casualidad, el camino de la danza se revelase un callejón sin salida, ¿qué haría de mi vida?, ¿qué haré? La idea de tener que empezar todo desde el principio, después de haber dedicado tanto tiempo a una cosa sola, la paraliza. Pero ahora, silencio: la Zoe del espejo no sabe contestar a todas estas preguntas. Y hay que encontrar a alguien que lo haga.

Su abuela deja caer una cucharadita de miel muy clara dentro de la taza de té.

—¿Tú no quieres? —le pregunta cada vez. Y cada vez Zoe le repite que el té le gusta sin azúcar ni miel, solo con un poquito de leche, y su abuela contesta:

—Claro que sí, como los ingleses. —Esto también forma parte de sus ritos, piensa Zoe, con una pequeña sonrisa.

El tintineo delicado de la tacita contra el platito (un servicio exquisito, porcelana de Wedgwood, así se llama, de color celeste claro con ornamentos blancos en relieve que representan mujeres con túnicas griegas) es el mejor complemento para una conversación femenina e importante. Su abuela entiende estas cosas por instinto, y ha preparado la mesa de forma exquisita, con un mantel blanco bordado con un encaje ancho hecho a mano, minúsculas servilletas a juego y dos platitos de plata cargados de pequeñas galletitas doradas de mantequilla. En medio hay violetas y pétalos de rosa y hojas de menta confitadas, cubiertos por una capa de azúcar que hace que parezcan cristalizados. Cucharitas de plata, azucarera de plata (parece una bañera de época) con pies algo ridículos en forma de animal y la tetera regordeta celeste que evoca la calidez de una chimenea. Llueve, y parece que hace más frío, aunque probablemente es solo una sensación, pero, de cualquier manera, el té está perfecto.

—Abuela, ¿tengo talento para la danza? —comienza inmediatamente Zoe, sin perder tiempo. Y luego, esperando la respuesta, y también para mostrar confianza, prueba la bebida, que está todavía algo caliente, pero soportable, y deliciosa en la boca, con su aroma algo humeante.

—Por lo que yo entiendo, sí —contesta su abuela, sin ni siquiera reflexionar—. Eres apasionada, te diviertes, lo consigues hacer muy bien. Cuando eras pequeña todos decían que parecías una bailarina, y eras muy, muy pequeña, antes de que empezases a estudiar para llegar a serlo. Supongo que hay cosas con las que uno nace.

—Y, según tú, ¿tengo talento para otras cosas? Quiero decir, si las cosas se torciesen en la Academia, ¿qué otro camino crees que podría seguir?

Esta vez, su abuela piensa antes de contestar.

—Diría que te gusta observar. Cuando eras pequeña inspeccionabas siempre el suelo cuando íbamos al parque, y volvías a casa con los bolsillos llenos de pequeños tesoros: una piedrecita que brillaba que se había caído del anillo de una niña, una muñequita de plástico, una pulsera de perlitas. Cosas así, que solo tú encontrabas. Jugabas mucho sola, te inventabas mundos enteros a partir de un trocito de madera, incluso de una hoja, cosas así. No sé qué puede significar todo esto. Y tampoco creo que te tengas que preocupar por el futuro. Si descubrieses un día que la danza no está hecha para ti, o que tú no estás hecha para la danza, tienes un montón de tiempo para decidirte. A tu edad, los demás chicos todavía no han decidido nada. Para algunas cosas, el colegio al que vas te ha hecho crecer rápidamente, por lo que si frenases un poquito tampoco pasaría nada. ¿Estás preocupada?

—No —contesta Zoe, y es sincera—. Era solo curiosidad; no lo sé. Una duda. Un pensamiento que me rondaba por la cabeza.

—Bueno, no te preocupes en absoluto. No merece la pena, de verdad. Las preocupaciones de

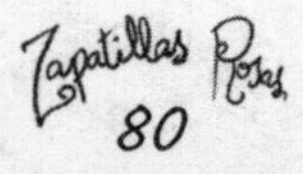

verdad nos buscan a nosotros; no tenemos que salir a cazarlas. Nos buscan y nos encuentran. A veces me gustaría que fueses algo menos seria. Algo más despreocupada. Como Sara. O como Marta. O como Leda, que me parece algo inconsciente, o que está en el limbo, más que despreocupada.

Zoe no puede hacer otra cosa que sonreír.

—Bueno, ella también le da vueltas a algunas cosas. De otro tipo.

—Hombres —dice la abuela, muy segura, y estallan ambas en carcajadas, cómplices y felices. El té se ha enfriado un poco, se puede beber sin quemarse la lengua, pero despacito, para saborearlo. Coge las galletitas de mantequilla. Una, dos, tres. Se deshacen en la lengua, pastosas y deliciosas.

—Vas a hacer que me convierta en un tonel —dice Zoe a su abuela.

—Figúrate. Si eres un palillo —replica ella—. Prueba un pétalo de rosa. Están deliciosos.

Es verdad. Aunque el sabor es algo extraño, es como chupar un jardín en verano al atardecer. Luego, la hojita de menta es un escalofrío en la lengua. Las violetas se quedan ahí, como adorno, incluso cuando las galletas y el resto del jardín se han terminado desde hace un rato.

Unos días más tarde, a última hora, Zoe recorre el pasillo del último piso: el colegio está vacío, pero ha olvidado los calentadores en clase y quiere recuperarlos antes de que terminen en el cesto de los objetos perdidos junto a un montón de cosas recogidas por las señoras de la limpieza durante sus recorridos nocturnos. Son nuevos, por lo que le interesa recuperarlos, y le molestaría verlos tirados y revueltos junto a zapatillas viejas, lazos para el pelo, diademas y cosas parecidas.

El colegio está vacío, pero el aula donde han tenido la última clase hace veinte minutos, no. Hay solo una persona dentro. Mara Simone. Que ensaya sola, sin música. La puerta está entreabierta, Zoe entra sin mirar, suponiendo que no hay nadie. Al ver a Mara, se aprieta contra la pared; le gustaría desaparecer, porque Mara Simone, ex alumna de la Academia, ahora *étoile* del cuerpo de baile del Teatro de la Academia, es *la* estrella, aquella que a todas les gustaría llegar a ser un día, quizá, con un poco de suerte y mucho del famoso talento.

Practica sin música, y, sin embargo, se mueve como si la tuviese dentro y la difundiese en torno suyo con unos gestos perfectos. Lleva un maillot negro, sencillo, uno de esos con las mangas tres cuartos que si se los ponen las pequeñas parecen saquitos y ganan gracia según la gracia de quien los lleva puestos. En Mara resultan de lo más elegante. Zoe observa la delicadeza y decisión de los brazos, la línea imperiosa del cuello, la gracia de la cabeza recta. Se fija más en todo eso que en la rápida sucesión de pasos, marcados por los chasquidos suaves de las zapatillas con el yeso. Luego, su mirada baja y se detiene justamente en las zapatillas, y es verdad que están viejas, antiguas, grises, usadas y deformadas, pero le parecen preciosas simplemente porque han cumplido con su misión: si ahora están deterioradas, es porque han sido útiles para su propietaria. Le han servido tan bien que ahora no quiere deshacerse de ellas. Después de una secuencia de *fouettés* de vértigo, Mara Simone se detiene, permanece inmóvil de forma impecable ante el espejo. Ni siquiera jadea, y debería. Pero su autocontrol es tal que no se le escapa ningún signo de esfuerzo físico. La sonrisa es tenue, apenas se nota un esbozo en los labios. Nada que ver con esas sonrisas enormes y brillantes que las bailarinas generalmente muestran al final de las secuencias de piruetas, como diciendo: «¿Veis qué bien lo hago?»,

mientras resuenan los aplausos por encima de la música.

—Hola —le dice Mara Simone, cruzando los brazos—. ¿Cómo te llamas?

—Zoe —responde, en voz baja.

—Zoe. Un nombre interesante. ¿Qué haces por aquí?

—Buscaba... eso —dice Zoe, que ha visto los calentadores junto a la pared donde se coloca siempre en la barra—. Los he olvidado antes.

—Yo, en cambio, practicaba sin música. A veces me relaja, ¿sabes? Siento la música dentro, para mí es lo mismo. Y me gusta bailar en silencio.

—Sí, sé lo que dices —dice Zoe, sin añadir nada más.

—Bueno, yo continúo. ¿Te quieres quedar aquí un poquito más? —le pregunta Mara Simone.

—Me encantaría —contesta Zoe.

—Entonces, más vale que te pongas cómoda. Siéntate, venga.

Y, sin más palabras, retoma su ensayo solitario y silencioso, con una sola espectadora igual que ella, solitaria y silenciosa, que conservará como un tesoro este momento especial, precioso, único.

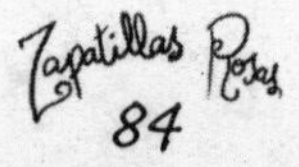

Cuando vuelve al vestuario para recuperar sus cosas, Zoe coge el móvil de la mochila y ve que tiene tres mensajes de Leda. Todos dicen lo mismo: «¿Dónde te has metido?». La llama en seguida, y por suerte no está obligada a inventarse una excusa, porque Leda no para de hablar. Zoe se siente aturdida. No presta atención y Leda exclama: «¿Entiendes?», como si se dirigiese a alguien que habla otro idioma. Y en ese momento Zoe se siente como si de repente acabase de bajar de otro planeta donde los silencios son importantes, porque si se escuchan con atención cuentan un montón de cosas.

Un ensayo para nada sabio

—¿Cómo has dicho que se llama esta pieza?

—Sssh, te lo digo luego.

Zoe y Jonathan están sentados juntos en la sala de conciertos de la escuela de música de Rossella. La estancia está llena, y se ve que el público está compuesto, en su mayor parte, por padres nerviosos y orgullosos, muchos de ellos con cámaras de vídeo (las de fotos están prohibidas), que han ocupado las sillas situadas en círculo en torno al perímetro de la sala. Han cubierto con mucho cuidado los asientos con periódicos viejos que han traído de casa y se han subido en ellos, preparados para capturar los momentos más preciosos de la actuación de sus hijos. Se trata de algo serio —Rossella ya se lo había advertido—; los niños de los primeros cursos no participan, lo que evita que el público se

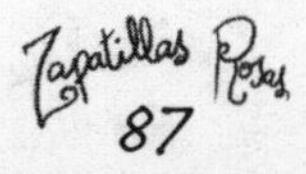

aburra con breves ejercicios ejecutados lentamente, o que haya repentinos ataques de pánico que terminen en una parálisis pasajera o en llanto. Esta noche el espectáculo corre a cuenta solo de los mayores, que no tienen miedo; es más, tienen ganas de mostrar al mundo lo que han aprendido. Y esto es algo que Zoe entiende de maravilla: pasados los miedos de los primeros años, también para ella una actuación es un momento de placer absoluto.

Y así, después de un curioso solo de oboe (qué extraño sonido tiene, y qué extraño es el nombre), y un delicado fragmento de piano a cuatro manos (Zoe lo reconoce, es *Ma mère l'oye,* de Ravel) ejecutado por dos chicas rubias que podrían ser hermanas, le toca el turno a Rossella con su saxofón. «Una chica que toca el saxo, ¡qué fuerte!», había comentado Jonathan: fuerte, sí, viendo cómo lo abraza, lo cuida y lo hace sonar; es más, se diría que lo hace cantar, como si fuese un objeto separado de ella e independiente de su voluntad, como si la música estuviese dentro del instrumento y solo esperase a ser liberada por las manos apropiadas, por los dedos apropiados, por el modo apropiado de cerrar los ojos y de abandonarse a la pasión. El fragmento es melancólico, tormentoso. También

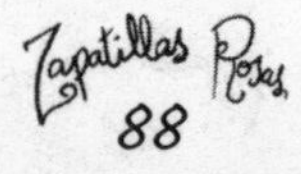

Zoe, después de escuchar a Rossella un rato, cierra los ojos e imagina con facilidad una noche de lluvia, brillante y fría, en una ciudad norteamericana, no importa cuál, con las aceras desiertas, callejones llenos de cubos de metal, algún que otro cartel que brilla en la oscuridad de forma intermitente, apagado-encendido, apagado-encendido, y hay un regusto a soledad en todo ello, pero también una mágica sensación de que todo es posible: misterio, soledad y posibilidad. Es bonito pensarlo.

Más tarde, cuando se encienden las luces durante el intermedio, Zoe, volviendo a la realidad, descubre, con una pizca de desilusión, que no se halla en absoluto viviendo una noche misteriosa; es más, es una velada agradable y tranquila. Ella y Jonathan se levantan para estirar las piernas y salen al gran vestíbulo, elegante y algo antiguo, del conservatorio, cubierto con paneles de madera hasta media altura, con grandes espejos que multiplican la perspectiva, y gente como ellos, curiosa y afectuosa, que charla y pasea, mientras los papás, armados con sus cámaras de vídeo, verifican con cuidado que la grabación haya salido perfectamente, y las madres forman corrillos e intercambian saludos. Las madres siempre tienen algo que decirse, debe

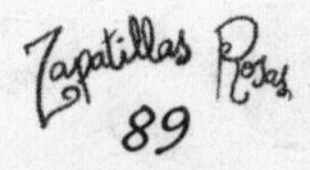

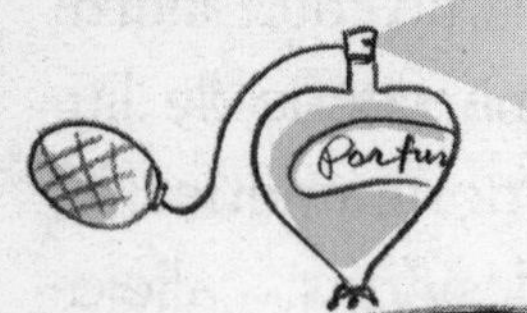

de ser por el hecho de ser madre.

—Era *Almost Blue* —dice Zoe a Jonathan, mirando el programa.

—Creo que ya lo he escuchado antes. Sería bonito preparar un ballet con esta música, ¿no crees?

—Un *pas de deux* —dice Zoe.

—Sí, pero con los dos bailarines haciendo su interpretación por separado, sin tocarse nunca, haciendo los mismos pasos sin bailarlos conjuntamente. Como si se buscasen sin encontrarse.

—Vestidos de azul, bueno, de celeste. Con un maillot de mangas largas, ya sabes.

—He aquí la encargada del vestuario de la ópera —dice, bromeando, Jonathan.

—Habló el coreógrafo —contesta Zoe, inmediatamente.

La segunda parte es mucho más movida que la primera. Es como si quien hubiera decidido el programa hubiera pensado: muy bien, en la primera parte seremos serios y solemnes, pero en la segunda nos desmelenaremos. Empieza un solo de batería que pone alas en los pies; luego, se une un piano; luego, el bajo, y ahí interviene el saxo. Es música con ritmo, viva, imposible de detener y también imprevisible.

—Están improvisando —susurra Jonathan al oído de Zoe.

Rossella echa la cabeza hacia atrás y levanta el saxo, como un relámpago en la penumbra: Cuánto se divierte, piensa Zoe.

Al final, parece que los aplausos no se detendrán nunca. Mirando a su alrededor, Zoe tiene la sensación de que no son de pura cortesía, sino que el público ha apreciado el espectáculo —también las abuelas con el pelo cano, también las madres con aire tranquilo— y no aplaude solo porque sienta afecto por los intérpretes. Ella se lo ha pasado realmente bien, está contenta de haber venido y siente que se confirma algo que siempre ha pensado: que a los amigos de verdad no hay que verlos todos los días, o hablar con ellos dos veces por semana, sino que siempre están ahí, y cuando los necesitas puedes contar con ellos, y viceversa, obviamente. Esto vale con Rossella, y vale también con Agnese. Y no hay mucho más que decir.

Ahora llega Rossella, algo acalorada y radiante, el pelo rubio algo despeinado, las mejillas rojas, los ojos que brillan y parecen más oscuros.

—¿Os ha gustado? —pregunta. Ellos asienten.

—Eres genial —dice Jonathan—. Me encantaría que un día tocases mientras bailo.

Zoe lo mira, sorprendida. Es una idea maravillosa. Se le tiene que haber ocurrido en este momento porque antes no le ha dicho nada. Rossella contesta entusiasmada:

—Qué buena idea. Me encantaría. De verdad.

En ese momento, llega el pianista que tocó en la segunda parte, un chico algo mayor que ellos, muy delgado, con el pelo negro largo que le cae alrededor del rostro.

—Vamos al bar de aquí abajo a beber algo para celebrarlo, ¿venís?

Zoe y Jonathan se miran. ¿A beber algo? Rossella contesta por los tres:

—Voy a preguntarles a mis padres si nos dejan. Hemos venido con ellos.

—Vale —dice el chico delgado, luego les da la mano a Zoe y a Jonathan—. Soy Paul.

Una vez hechas las presentaciones, Rossella vuelve con un sí.

—Mis padres van a aprovechar para dar un paseo por el centro. Vuelven a por nosotros dentro de tres cuartos de hora.

Paul hace un gesto de desaprobación.

—¡Qué poco tiempo! Bueno, será porque todavía sois unos enanos. Venga, vamos a darnos prisa, así por lo menos disfrutáis de un poquito de libertad. Los demás ya están abajo.

Poco después, abre camino dentro de un bar que se encuentra casi a oscuras. Al pasar delante de la barra, saluda al barman, que le dice, con una sonrisa:

—¿Esta noche has traído contigo la guardería? —Pero lo pregunta con un tono agradable, no despreciativo. Y, además, es verdad que el terceto es decididamente joven para estar en un bar después de las diez de la noche. Zoe se encoge de hombros: a fin de cuentas es una ocasión excepcional, pero no puede evitar sentirse vagamente incómoda.

Los amigos de Paul y Rossella, los músicos más mayores, ya están sentados en los bancos en torno a una amplia mesa cuadrada. Y ya han empezado a beber. Paul presenta a los nuevos, Zoe estrecha manos y escucha los nombres uno detrás de otro, y al terminar no recuerda ni siquiera uno. Todos se aprietan y ellos se sientan. A Zoe le toca el último

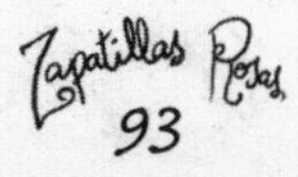

asiento, prácticamente una esquina del banco con el cojín que casi se cae al suelo, y tiene que sujetarse con las uñas para no caer.

—¿Qué tomáis? —pregunta Paul—. Esta noche invito yo.

—Una tónica —dice Zoe, con cierta timidez.

—Venga, vamos, eso es cosa de viejas —dice Paul—. Yo me ocupo. —Y se acerca a la barra para pedir. Luego, le hace una señal a Zoe para que le deje sitio y se sienta demasiado cerca de ella, junto al borde del cojín a punto de caerse. Tiene un olor extraño, de pelo sin lavar, que tampoco le agrada mucho. Pide ayuda con la mirada a Jonathan, que se encuentra tres sitios más allá, apretujado entre Rossella y una de las pianistas rubias. Imposible que haga algo. Paul se dirige a ella y le pregunta:

—¿Tocas algún instrumento?

—No —contesta Zoe—. Estudio danza clásica. —Pero la respuesta se pierde porque llegan las bebidas, y Paul da órdenes al camarero para que las distribuya de forma correcta. Le ponen un vaso alto, cilíndrico, lleno de algo que parece naranja, con una pajita y una hojita de menta que flota en la superficie. Le hace un gesto para que prue-

Paul lo mira de arriba abajo, algo contrariado porque lo ha interrumpido. Luego, observa el vaso de Zoe, todavía casi lleno y dice:

—¿Te importa si lo termino? No se debe desaprovechar lo bueno.

—Tú mismo —dice Zoe. Coge del brazo a Jonathan y se dirigen hacia la puerta. Rossella resopla, luego se levanta y los alcanza.

En el coche reina un extraño silencio. Al primero al que dejan en su casa es a Jonathan; luego le toca a Zoe. Saluda con la mano a Rossella, que le sonríe con amargura y la mira asomándose a la ventanilla.

—Buenas noches y gracias —dice Zoe a los padres de Rossella. Y baja del coche, aliviada.

Una vez arriba, después de un rato, ya en la cama, escribe un mensajito a Jonathan: «¿Te has tomado tu bebida?».

«No. He reconocido el sabor de la ginebra. Me da asco».

«Imagino que tu prefieres el whisky», le contesta Zoe, con un tono alegre.

«Boba», contesta él.

«Buenas noches».

be. Ella obedece. Está bueno, sabe sobre todo a naranja, pero lleva algo más, algo que no consigue reconocer, es algo fuerte, pero no obstante agradable.

—¿Qué me decías? —vuelve a intentar Paul, que ha pedido lo mismo y en dos sorbos ya se ha tomado la mitad.

—Que estudio danza... —repite Zoe, pero esta vez quien los interrumpe es Rossella, que se levanta, y le susurra al oído—: Voy al baño, ¿me acompañas? —Y la coge por un brazo obligándola a levantarse.

El baño es minúsculo, todo azul. Rossella se mira al espejo, abre el grifo y pone las muñecas debajo del agua fría.

—Creía que explotaba de calor —dice. Y luego, mirándola a los ojos—: No te fíes de Paul. Y no te tomes esa bebida. Lleva alcohol. No está bien que la tomes.

Ya está aclarado el misterio del sabor fuerte.

—Apenas se nota —dice Zoe, como si se tuviese que justificar.

—Claro, no parece que lleva alcohol, de eso se trata —dice Rossella—. Pero luego se te subirá a la cabeza.

—Parece que hablas por propia experiencia —observa Zoe, buscando la mirada de la amiga en el espejo.

—Pues sí —dice Rossella, lacónica—. Paul es un genio con el piano, pero hay que tener cuidado con él.

—¿Entonces por qué nos has traído aquí? Podíamos habernos ido a casa en seguida, ¿no? O podríamos haber ido a tomar algo por nuestra cuenta, con tus padres.

—Hay un problema —dice Rossella. Se muerde un labio. Ahora no está blanca y sonrosada como una princesa de cuento; está pálida—. El problema es que estoy enamorada de él. Y siempre hago lo que me dice. Sé que no debería. Que me equivoco. Y hago también cosas que no están bien. Pero no lo puedo remediar. Es superior a mis fuerzas.

—¡Ah! —es el único comentario que sale de los labios de Zoe.

—Venga, volvamos. Nos queda poco tiempo; luego vendrán a buscarnos y todos a la cama como niños buenos. Él, en cambio, puede salir dos o tres horas más.

—¿Pero cuántos años tiene? —le pregunta Zoe. Ese tipo de libertad le parece impensable.

—Quince. Viejo, ¿eh? —Rossella ríe con amargura y se arregla el pelo alrededor de la cara.

—Un poco —admite Zoe—. Para ti, quiero decir.

—Jonathan es más pequeño, ¿verdad?

—Tiene doce. Casi trece.

—¡Buf! Los dos sois muy pequeños. No sé ni cómo te puedo hablar de estas cosas. No creo que puedas entenderme.

—No —dice Zoe, muy bajito. Tan bajito que Rossella no la oye, se seca las muñecas, abre la puerta y se va. Zoe la sigue porque no puede hacer otra cosa.

A lo lejos, los padres de Rossella les están esperando, sentados discretamente en unos taburetes en la barra.

—Vamos —dice Zoe, sin ni siquiera sentarse, mirando a Jonathan. Rossella se deja caer en lo que era su sitio de antes, cerca de Paul, muy cerca. Él ni siquiera le dirige una mirada; está hablando con una de las dos rubias, cuál de las dos es difícil de decir, po que se parecen muchísimo. Ya tiene el vaso vacío.

—Nosotros nos vamos —anuncia Jonath después de pasar por encima de algunas rodi para alcanzar a Zoe.

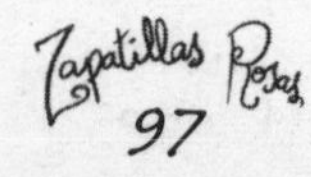

Zoe no se ha sentido nunca tan agradablemente boba. Vuelve a pensar en la velada y en la mezcla de sensaciones contradictorias que ha experimentado: primero, el placer de escuchar buena música; luego, el sentimiento algo excitante de hacer algo nuevo y diferente, como ir de noche a un bar, una cosa de mayores; después, la sensación de incomodidad cuando ha percibido un cierto ambiente extraño, y la preocupación por Rossella, que está algo confundida y nada feliz. Ha sido una velada rara, diferente, y no muy satisfactoria. Zoe se pregunta qué es lo que habría pasado si se hubiese bebido toda la copa. Probablemente nada, o puede que se hubiese sentido algo mal, o se hubiese empezado a reír como una tontorrona —parece que el alcohol provoca estos efectos, antes de sentirse uno mal, obviamente.

¿Y Rossella? Mañana la llamará, intentará comprenderla. No, mañana no. Quizá pasado mañana. Primero tiene que reflexionar un poco, pensar. Si no, no sabrá qué decirle. ¿Que se olvide de Paul? Sería una tontería. Está claro que es lo último que su amiga quiere escuchar, y lo último que quiere hacer. ¿Entonces? ¿Qué puede hacer Zoe por ella? A lo mejor, solo escuchar. Eso es lo que hará.

Caramelos de consuelo

—Y tres, y cuatro. *Battement tendu*, adelante... Maestro Fantin, ¿quiere tocar la pieza de Bartók que hemos elegido juntos? Gracias...

Hoy la clase resulta extraña. Es realmente curioso que baste con cambiar el tema musical para darle un sabor nuevo a cada gesto, incluso a los más habituales. El maestro Fantin parece decididamente inspirado en la partitura: lo demuestra la vehemencia con que los mechones de pelo cano visibles detrás del piano se agitan con los acordes. Energía, energía. Emana un montón de fuerza de esta música que parece un baile popular. A Zoe le gusta mucho. Y esforzarse en cada ejercicio le parece fácil, más fácil que todo lo que ha hecho hasta ahora.

Madame Olenska, por otra parte, se ha dado cuenta de que hay una cierta desgana en el ambiente, una especie de decaimiento primaveral que está en el aire y se cuela dentro de las cabezas y se mete en los músculos, que se vuelven desobedientes y sus movimientos, imprecisos e indecisos.

—Chicos —dijo hace un par de días—, si estáis cansados, lo entiendo. Estamos a finales de curso y este año ha habido muchas novedades: mi ausencia y luego el trabajo con las puntas para las chicas. Tengo que decir que os habéis portado muy bien en ambas circunstancias. Pero está claro que no podemos tirar la toalla ahora, que estamos con los ensayos y el examen es dentro de poco. Intentad comer mucha fruta y verdura. Necesitáis vitaminas frescas. Nada de reconstituyentes ni pastillas, por favor. Llevad una vida sana fuera del colegio. Y haced un esfuerzo de concentración en el trabajo. Yo os ayudaré cuanto pueda.

Su ayuda proviene de la música, y parece increíble, pero, sin embargo, funciona. ¿Es posible? Madame Olenska tiene que ser un poco bruja, Zoe siempre ha tenido sus sospechas. Puede que haya hecho un hechizo que funciona únicamente en su clase. Porque luego, en el vestuario, Zoe se siente de nuevo lánguida y también algo cansada.

Para consolarse, o hacerse consolar, hoy, que no tiene que estudiar, decide no irse derecha a casa. Así, llega al pasillo donde se encuentra la sastrería y entra hasta la habitación de Demetra. Zoe llama a la puerta, y espera el «adelante»; empuja la puerta de cristal, saluda y se deja caer en el pequeño sillón milagrosamente vacío, para ponerse inmediatamente de pie masajeándose una pierna.

—¿Has encontrado un alfiler? —dice Demetra, entre risas—. Venga, dámelo, que así evitamos herir de muerte a alguna *étoile* que pase por aquí.

Tanteando con la mano, con cuidado, Zoe consigue encontrar el alfiler culpable sin hacerse daño y lo clava en una de las almohadillas de alfileres situadas encima de la mesa. Luego, se deja caer de nuevo en el sillón y apoya la mejilla en uno de los brazos, pensativa y agotada.

—¿Cansadita, eh? Coge uno de estos, que hacen que se te pase todo —dice Demetra, poniéndole ante la nariz la lata siempre llena hasta el borde de todo tipo de caramelos, generalmente poco comunes y que nadie sabe dónde consigue. Demetra se los ofrece solo a quien considera muy, muy simpático. A Zoe le parece que no disminuyen nunca: probablemente, Demetra los repone cada día, sabiendo muy bien que una caja repleta de caramelos es más atractiva que una medio vacía. Elige un caramelo de aspecto antiguo —es el envoltorio lo que parece antiguo: de papel blanco, con letras doradas impresas y el color que representa el sabor del caramelo rellenando los espacios en blanco de forma aleatoria—. El color del sabor, qué cosa tan bonita; es verdad que cada sabor tiene su color. Por ejemplo, la pizza es roja y blanca, y un poco negra y verde, ¿no? De cualquier forma, este caramelo es de ratafía, y según el envoltorio debería ser de color rojo rubí.

—Buena elección, son mis preferidos —aprueba Demetra. Y luego, anticipando la pregunta—: Es un licor de los de antes. Una bebida de señores.

—¿Puedo coger otros tres? —pregunta Zoe, ávida como una niña pequeña.

—Sí —dice Demetra—. Pero no te los comas uno detrás de otro. Haz que te duren.

Zoe, con las provisiones ya en el bolsillo, quita el envoltorio al caramelo número uno y se lo mete en la boca. La lengua da razón al papel: es verdad, tiene un sabor rojo. Rojo muy oscuro. Después de un prolongado silencio dedicado al caramelo, mientras Demetra está sentada ante su mesa de trabajo cosiendo una hilera de lentejuelas verde agua en el ribete de un tutú rígido y corto, Zoe cuenta:

—Una amiga mía está enamorada de alguien que no le conviene —dice. Y explica rápidamente la situación a Demetra, que escucha sin quitar la vista de su trabajo, interrumpiendo la narración solo con algún que otro «oh», «ah» o «entiendo». Luego, se produce una pausa enorme; en poco tiempo el caramelo de Zoe (que tenía dimensiones considerables al inicio de su breve vida útil) se transforma en un velo de azúcar crujiente que los dientes encuentran y no pueden resistirse a romper. Y mientras un sabor intenso invade los sentidos de Zoe, finalmente, Demetra dice:

—Pienso que no hay mucho que puedas hacer si ella misma no entiende que ese chico no le va... Aunque me parece que ya lo sabe. Pero tiene que encontrar la fuerza para dejarlo, y solo la puede encontrar dentro de sí misma. No se la puedes dar tú.

Zoe asiente, con cierto alivio. Sospechaba, es más, tenía la certeza de no poder hacer mucho por Rossella; nada en concreto, al menos. Pero que alguien se lo diga la tranquiliza, hace que se sienta

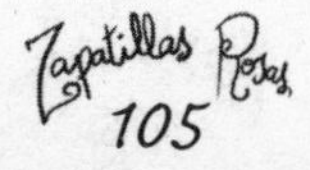

menos responsable. Así pues, tenía razón cuando pensaba que a Rossella podía ofrecerle solo su tiempo y estar cerca de ella. Y está bien así. Menos mal.

—¿Y qué tal con las puntas? —le pregunta Demetra, después de algunos centímetros de lentejuelas.

—Bastante bien. No me hacen daño, quiero decir. Madame Olenska y Giménez van muy despacio, ya sabes.

—Lo sé, lo sé. No hay prisas, por otro lado. Ya vais por delante del programa. Y las demás, ¿cómo van?

—Algunas, bien, y otras, no —contesta Zoe. Y cuenta que Leda cuando se pone de puntas parece todavía más alta; que Francine ha oído que el alcohol endurece la piel, por lo que va siempre con un botecito de alcohol en vez del agua mineral que llevan las demás, y se pone un montón con un algodón con el que se frota continuamente los pies, y en vez de estar en un vestuario le parece que está en la enfermería; que de vez en cuando Sofía llora (pero sin que la vea Madame Olenska, que no soporta esas escenas), porque dice que es demasiado difícil, que no consigue que sus zapatillas se doblen

y que nunca lo conseguirá; que Laila dobla las zapatillas con las manos para facilitar el trabajo de los pies. Y que los chicos, a veces, cuando terminan antes las clases de danza libre, entran sin hacer ruido y las miran como si ellas fuesen extraterrestres. Y probablemente lo son un poco, porque hasta hace unas semanas todas hacían los ejercicios de la misma manera, pero ahora ya no es así, comienzan a ser de verdad diferentes, y eso es desconcertante para todos.

Demetra cose y asiente, y de vez en cuando dice «mmm».

—Me imagino que habrás escuchado mil veces estas historias —dice Zoe—. Serán siempre las mismas cosas, los mismos problemas. Puede que te aburran. Dime si te aburro; no me gusta la idea de aburrirte. —Y para taparse la boca pela y se come otro caramelo.

—Tranquila, que no me aburres —le dice Demetra después de un rato, cuando termina la hilera de lentejuelas. Fija el hilo en la tela, lo corta, clava la aguja en un cojín y levanta el tutú para contemplar el efecto—. Un color horrible —comenta, casi para sí misma—. No le queda bien a nadie, solo acentúa las ojeras. Pero bueno, de todos modos es para Giulia Monda. Parecerá un zombi. —La odiosa Giulia Monda: Demetra no la soporta, aunque sea muy buena bailarina. En cambio, haría cualquier cosa, incluso improvisar un tutú desde cero en dos horas, para Mara Simone—. No eres aburrida —dice Demetra, retomando la otra conversación como si nada—. Cada una tiene una experiencia distinta. Y para todas vosotras es algo nuevo. Así que todas las historias se parecen un poquito, pero no son idénticas a ninguna de las que ya han ocurrido. ¿Sabías que cuando Monda y Simone eran pequeñas era mucho mejor Monda? Simone era frágil, a menudo estaba enferma, parecía una ramita seca, pobrecilla. Y cuando se puso las puntas parecía que tenía unos pies enormes, totalmente desproporcionados. Y de vez en cuando lloraba. Pero a escondidas, porque era muy orgullosa. Nadie habría apostado por ella. En cambio, la otra iba siempre con la nariz hacia arriba como una princesa, como si solo ella fuese capaz de ponerse las puntas. Luego, las cosas han cambiado. Bueno, la verdad es que Monda sigue siendo

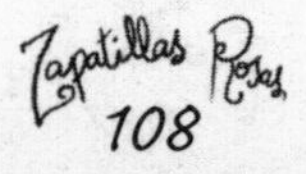

buena. ¿Pero puedes compararla con Simone? Ella sí que tiene el fuego sagrado. Dentro, digo.

El fuego sagrado: Zoe se imagina dentro del corazón, o cerca, uno de esos braseros de bronce que se usaban en la Antigua Grecia o en Roma (se ven en las películas, al menos) para iluminar las habitaciones y quizá también para calentarlas. Un brasero pequeño, con maderitas que se encienden como por arte de magia. A lo mejor hay quien tiene un brasero pero sin llamas dentro. ¿Lo tendré yo? ¿Cómo se puede saber?, se pregunta. Quién lo sabrá.

Es el momento del tercer caramelo, también de ratafía, también rojo oscuro en la lengua y en el paladar. Esta vez se lo come en silencio, y deja que sus pensamientos vuelen, y pasa la mirada por los tutús colgados en las paredes, y, durante un rato, su mente la ocupa solo el color, el efecto brillante y la transparencia de las faldas. Luego, se da cuenta de que tiene (más bien, tenía) la mente libre de pensamientos, y de nuevo se vuelve a llenar su cabeza de reflexiones y más reflexiones: se acabó el momento de frivolidad, qué pena.

—Dale recuerdos a tu amiga Aliai —le dice Demetra, de repente. Está agachada sobre la mesa, cortando con extrema precisión un corpiño de malla fina de color coral.

—¿Aliai? No sabía... —dice Zoe, un poco celosa.

—No, no; no tengo tanta confianza con ella como contigo, no te preocupes —dice Demetra, leyendo lo que Zoe piensa como solo ella sabe hacer—. Pero me cae simpática. Me parece que tiene mucho coraje. Y ahora que ya no se viste con esos colores que parecía que gritaban me parece más mona.

—Tienes razón —dice Zoe—. Y, además, es hermosa por dentro.

—Es muy bonito que digas eso de una amiga. Muy bien —dice Demetra—. Y ahora, para casa, que, si no, nos dejan aquí encerradas.

El último caramelo se lo toma Zoe en el autobús. Dura justamente lo que dura el trayecto. Y luego, con la boca toda roja y los bolsillos de los vaqueros llenos de papelitos que habrá de tirar en la primera papelera que encuentre, Zoe se siente mucho, mucho mejor. ¿Habrá sido Demetra? ¿O el prodigio de los caramelos mágicos? En el fondo, es lo mismo.

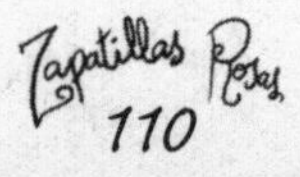

Pensamiento del manual de la bailarina:

Una bailarina de verdad tiene que tener el fuego sagrado. ¿Cómo se enciende? ¿Quién lo enciende? ¿Se nace ya con la chispa dentro? ¿O hay alguien que te la enciende? ¡Quién lo sabrá!

QUÉ COSA MÁS RARA, LOS NOMBRES

Zoe está en el pasillo que comunica unas clases con otras, y se dirige desde la suya al laboratorio de Inglés. Está sola. De vez en cuando se está bien a solas, se respira, se piensa, y luego se tienen más ganas de reencontrarse con los demás. Siente que por detrás llega alguien, alguien que le da un leve coscorrón en la cabeza y se pone a su lado. Vaya, ya no está sola.

Es Alcesti, un chico del último curso, muy agradable y educado, que hace algún que otro papelillo de figurante en el teatro para ganar algo de dinero. Son muchos los chicos y las chicas que trabajan en la Academia: lo más común es hacer de figurante en el teatro; otros atienden en la cafetería; y algunos hacen de dependientes de la tienda de libros, programas, CD, postales y demás objetos de recuerdo de los teatros más célebres del mundo.

—¿Qué tal te va? —le pregunta, educadamente, mirándola un poco de lado porque es mucho más alto. Tiene el pelo y los ojos negros, la piel muy clara, llena de pecas en los mofletes y encima de la nariz. Un poco como yo, piensa Zoe.

—Bien, ¿y tú? —Ya está preocupada por lo que pueda o deba decir luego, es la primera vez que habla con Alcesti; no lo conoce, ¿qué le puede preguntar?

Al final, no resulta un problema, porque es él quien pregunta:

—Bien. Y, ¿qué tal te va con las puntas?

Zoe sonríe, si bien a ella le parece que ha hecho una mueca.

—Bueno —dice—, es una novedad enorme y todavía no me he acostumbrado a la idea. Técnicamente me va muy bien. Quiero decir, no es que hagamos nada enormemente difícil. Solo me da miedo pensar que alguna vez lo tendremos que hacer en serio.

—Lo entiendo. Es peor la espera que estar ya metido en ello. Cuando te pones, generalmente descubres que con un poco de esfuerzo todo es posible. Pero la espera pone los nervios a flor de piel.

Zoe piensa que está hablando de él mismo: dentro de poco tendrá los exámenes para obtener el diploma, y está segura de que los aprobará con la máxima nota. Pero luego, ¿qué hará? ¿Lo cogerán en el cuerpo de baile de la Academia o tendrá que hacer otras audiciones quizá en alguno de los grandes teatros extranjeros? De pronto, duda, pero luego se sobrepone y le pregunta:

—¿Has decidido ya lo que harás luego?

—Justamente estaba pensando en eso. La verdad es que no. Me gustaría cambiar un poco de aires, tentar a la suerte y, si me sale bien, irme a vivir solo a otra ciudad; si fuese en el extranjero, mejor. Necesito ponerme a prueba, no solo en relación con los demás. —La mira a los ojos, aflojando el paso, y Zoe hace lo mismo—. Quizá son cosas algo extrañas para ti, pero me entiendes, ¿verdad?

—Sí —contesta Zoe, y es sincera. Si bien a ella nunca se le ha ocurrido marcharse de casa, está bastante segura de que un día le sucederá, porque todos se marchan, tarde o temprano, y a todos, también tarde o temprano, les entran ganas de descubrir la vida.

En ese momento, sus caminos se separan.

—Yo subo —dice Alcesti, señalando la escalera que lleva a la sala de pruebas.

—Yo bajo —dice Zoe. Los laboratorios están en el sótano.

—Bueno, pues ya nos veremos. Ha sido un placer —dice él, y le da de nuevo un ligero coscorrón en el pelo, gesto que Zoe no sabe si apreciar porque se siente como un perro de compañía a quien se acaricia en la cabeza.

Caricias caninas o lo que sea, el gesto no le pasa inadvertido a Leda, que llega corriendo y la alcanza a mitad de la escalera.

—Bueno, Zoe. Eres una caja de sorpresas. No sabía que te gustasen los chicos mayores. La verdad es que Alcesti es muy guapo...

—No seas idiota, Leda —replica Zoe, con una sonrisa, porque, en el fondo, la idea de que Leda se crea algo semejante la halaga en cierta forma.

—¿Idiota? ¿Soy una idiota solo porque te he pillado con un tío que estaba ligando contigo? No me habías dicho nada...

—Porque no hay nada que decir.

—¿Hace mucho que os veis? Te hablaba en un tono tan... mmm... íntimo.

Este es el momento en que Zoe debería o podría decir que en realidad es la primera vez que Alcesti le dirige la palabra, sin contar algún que otro saludo por educación. Pero no lo hace.

Luego, durante la clase de Inglés, se da cuenta de que, de vez en cuando, Leda la mira con una mezcla de curiosidad y sospecha. Al final, mientras suben hacia su clase, se le acerca y, sin preámbulos, le dice:

—Reconozco que es muy mono. Qué pena que tenga ese nombre. —Luego, sonríe, alcanza a Sofía y le dice algo al oído.

Y más tarde, en casa, mientras descansa un rato después de hacer los deberes y antes de la cena, en ese momento del día que más le gusta porque es todo para ella, Zoe se pone a pensar en los nombres. Alcesti es un nombre altisonante, antiguo y también raro. Zoe quiere decir 'vida' en griego, y también es un nombre poco común, ella es la única Zoe que conoce. Leda es otro nombre que viene de lejos, de Grecia; luego están los nombres frívolos: Francine, Aliai, Estella, musicales y ligeros. Solo Paola, Stefanía y Sofía tienen nombres normales. Zoe siempre ha estado muy contenta con el suyo, que es corto y tiene un sonido curioso: los nombres que

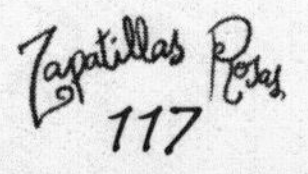

comienzan con z son escasísimos. Si un día tiene un niño, le gustaría llamarlo Zeno; en cambio, si es niña, María Sol o María Luz; vamos, un nombre que brille. También quizá, estaría bien Estrella. Jonathan suena bien, y sobre todo le queda muy bien a su dueño, porque, ¡ojo!, si uno tiene cara de Marco y se llama Guido no queda bien. Luego, están los nombres algo neutros, intercambiables, tipo Cristina, Giulia, Luca, Andrea. A Zoe no le gustaría tener un nombre neutro. Y está segura de que también Alcesti está contento con el suyo; es un nombre fácil de recordar, y para un artista es importante: ¿acaso se ha escuchado alguna vez que un gran bailarín se llame Mario Rossi o Luca Bianchi? Los apellidos ya son otra historia, pero estos los eliges menos que los nombres, en el sentido de que si un nombre propio no te gusta puedes al menos convencer a tus amigos para que te llamen de otra forma, y el nombre verdadero y no querido permanece encerrado dentro del carné de identidad. Pero el apellido es una especie de sello: si es complicado, nadie lo escribe bien y tienes que deletrearlo cada vez que te lo preguntan.

Luego, se da cuenta de que todo eso de pensar en los nombres ha sido un pretexto para no concentrarse en otra cosa; por ejemplo, sobre lo mal que se ha sentido cuando Leda ha insinuado lo de Alcesti. Claro está que le gusta que el chico haya hablado con ella. Que le haya contado cosas importantes en un encuentro tan breve. Que alguien tan mayor le haya hecho caso. Pero no se le ocurre dar al episodio más importancia que la que tiene. ¿De verdad podría gustarle a un muchacho tan mayor?

En la mesa, mamá se da cuenta en seguida que le pasa algo, pero, como es tan discreta, no dice nada, aunque Zoe se siente observada. Sara no está, se ha quedado a dormir en casa de una amiga, y la atmósfera es, por extraño que parezca, más tranquila, sin las discusiones entre ella y Marta. Luego, mamá dice:

—Hoy recogen la mesa papá y Marta. Zoe, ¿puedes venir a mi cuarto, que te quiero enseñar una cosa?

En efecto, hay algo que ver. De una bolsa pequeña de gasa verde cerrada con un lacito azul, sale una preciosa y delicada pulsera, una cadenita de la que penden minúsculos colgantes que representan la primavera y el verano: dos mariposas esmaltadas en colores brillantes, cerezas minúsculas de cristal con las hojitas en esmalte verde, una libélula con el cuerpo brillante, dos mariquitas pequeñitas y algunas flores con los capullos cerrados.

—Es preciosa —dice Zoe, cogiéndola entre los dedos para ver bien cada pequeña pieza—. ¿Dónde la has encontrado?

—Es un regalo, me la ha traído Alessia de París.

Alessia es una de las amigas de mamá. Trabaja en una revista de moda y viaja muchísimo, se viste de manera estrafalaria, con cosas que nadie tiene ni se atrevería a poner, pero que a ella le quedan bien.

—Pero no es tu cumpleaños —observa Zoe.

—Alessia es así. Cuando ve algo que le gusta, te lo regala. Está convencida de que los regalos tienen que gustar antes que a nadie a quien los hace. En cierto sentido, tiene razón. Pero este regalo me da miedo, porque lo veo muy delicado y temo que se enganche o que se caigan los colgantitos. Será necesario que tenga cuidado cuando me la ponga. Ven aquí, que te la pruebo.

Contemplando desde cerca una flor pequeñita de color violeta con el corazón más claro y una hoja con forma de abanico, Zoe dice:

—¿Alessia es generosa?

—Bueno, no sabría definirla —responde mamá—. Digamos que le gusta acordarse de las personas a las que quiere. Pero ser generoso no significa hacer muchos regalos. Quiere decir regalar otro tipo de cosas, las que no se compran. El propio tiempo, dedicar atención a los demás.

—Entonces tú eres generosa. Porque gran parte de tu tiempo lo dedicas a nosotras en vez de leer, como te gustaría.

—O ir al cine —añade mamá, riendo. Luego, ya seria, dice—: No soy generosa. Soy una madre. Ciertas cosas las haces sin ni siquiera pensarlas, no las mides. Y probablemente no hay un modelo que seguir para ser madre. Cada una se inventa el suyo.

—A mí el tuyo me gusta. Sé que esta noche te has dado cuenta de que estaba rara y que por eso me has llamado para que venga a tu cuarto.

—Es verdad —dice mamá—. ¿Y bien?

—¡Oh! ¡Nada grave! Es solo que Leda dice que me gusta un chico mayor, uno del último curso. O quizá dice que yo le gusto a él. Un lío; no lo sé.

—¿Y es verdad?

—No. Es decir, nunca lo había pensado. Hasta hoy solo sabía cómo se llamaba, jamás me había hablado.

—¿Y qué es lo que te preocupa en todo esto?

—La verdad, no tengo ni idea —admite Zoe.

—A mí me parece que no hay nada de qué preocuparse; por eso no lo sabes. O a lo mejor te molesta que Leda se meta en tus asuntos.

—Generalmente las amigas lo hacen, ¿no?

—Solo si se lo permites. Ser amiga no quiere decir contarse todo. Ser sinceras, sí. Pero decirse todo, no. No es obligatorio. Puedes tener una amiga a la que te apetece contarle todo y otras a las que cuentas solo ciertas cosas. No hay reglas.

—La cuestión es que sobre todo esto yo no he dicho ni palabra. No he tenido oportunidad. Y, de todos modos, no hay nada que decir.

—Te sientes algo invadida en tu intimidad —dice mamá.

—Eso es. Invadida es la palabra correcta.

—No te sientas obligada a rendir cuentas de todo lo que eres o haces. Las verdaderas amistades son aquellas que te dejan respirar, que respetan tu libertad. Se crece también sabiendo fijar límites. Este soy yo y este eres tú.

—Si no, se termina como esas chicas que se visten igual, la misma camiseta, los mismos vaqueros, los mismos zapatos, incluso el mismo cinturón y el mismo maquillaje. En tercero hay dos que dan miedo, parecen una la copia de la otra.

—Eso es. Yo eso lo evitaría. Quizá se empieza jugando, pero luego puede ser peligroso. Se llega a no tener gustos o intereses propios. Se termina por ser igual a todos, sin tener personalidad.

—Iguales, superficiales, frívolas. Esta pulserita no es superficial —dice Zoe, acercando la muñeca a mamá para que se la quite. Mamá la coge y la guarda con cuidado en la bolsita de gasa verde.

—Tampoco la amistad entre Alessia y yo es superficial. Por eso estoy tan feliz de que me haya hecho este regalo.

—Te entiendo —dice Zoe—. De todos modos, Leda nunca se gastaría tanto dinero en regalarme algo. Si acaso, se lo compraría para ella.

—De hecho, Alessia tiene uno idéntico...

Zoe y su mamá se echan a reír, se abrazan y se dan un beso de buenas noches. Zoe pasa por la cocina y sorprende a papá y a Marta que, después de haber limpiado todo perfectamente, están devorando lo que queda de la tarta de chocolate, sentados a la mesa en silencio, como dos cómplices, con dos platos bonitos y tenedores de plata.

—Os he pillado —dice.

—Se ha terminado —dice Marta, con la boca llena y rebosante de azúcar y chocolate.

—¡Qué paciencia hay que tener! —dice Zoe, y se inclina para darle un beso a papá bajo el círculo de luz creado por la lámpara de la que cuelgan cristales con forma de gotas que brillan en la penumbra como en los salones de baile. No se siente excluida: ha tenido su momento especial con mamá, y Marta disfruta del suyo con papá. Si estuviese Sara, todo habría sido más complicado. Pero quererse no es una competición.

En la cama, Zoe vuelve a pensar en la preciosa pulserita y en el significado de la amistad. Y un instante antes de cerrar los ojos, piensa que en todo este tiempo no ha dedicado ni siquiera un pensamiento a Alcesti. Claro, porque él no es el centro de la cuestión.

Complicaciones

Alcesti no es el centro de la cuestión, pero a pesar de todo se convierte en tal. Porque a la mañana siguiente, Jonathan, nada más llegar a clase, antes de que suene el timbre, se acerca al pupitre de Zoe (que está repasando gramática: hay una regla que no le entra en la cabeza) y le dice de forma solemne:

—Tú y yo tenemos que hablar.

—Dime —responde ella, cerrando el libro y dejando que la regla, en vez de quedarse en su memoria, salga por la ventana y se aleje alegremente por el territorio del olvido.

—No, quiero decir hablar seriamente.

—¿Y de qué? —pregunta Zoe, inocente.

—De nosotros.

Entonces Zoe experimenta un sentimiento de curiosidad y de miedo, porque ese «nosotros» le parece exagerado, desproporcionado. Pero no puede decirlo, porque suena el timbre y la profe de Lengua aterriza sobre la mesa como un buitre, y ya tiene la lista abierta para llamarles rápidamente uno a uno y preguntarles la lección. Naturalmente, entre los damnificados está Zoe.

Más tarde, y habiendo escuchado Zoe un «medio bien» de la profesora, que le ha preguntado justamente la maldita regla, la que había volado por la ventana, es Jonathan quien cae en el pupitre de Zoe como un ave rapaz de cacería. Y ella se siente una presa, un ratón indefenso que no tiene ni siquiera un agujero donde esconderse para no mirar a los ojos del predador. Luego, respira profundamente y se dice: ¿He hecho algo malo? ¿Por qué tengo que sentirme culpable? Y la improvisada, cristalina certeza de ser inocente hace que se sienta mejor para afrontar la mirada acusadora de Jonathan. Él espera que todos salgan del aula (es un día precioso y la llamada del jardín es irresistible) para sentarse en la silla delante de Zoe y soltarle, sin preámbulos:

—Leda dice que te gusta otro.

Zoe suspira. Le entran ganas de reír: tenía que haberse imaginado que se trataba de eso. Que Leda no podía resistir a la tentación de difundir la

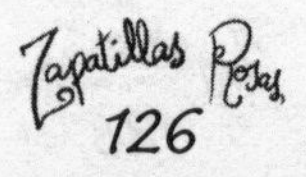

que en su increíble, inaudita ligereza tiene que haber dicho algo de más, algo susceptible de interpretación errónea, dejándole creer a Jonathan algo que no es verdad y divirtiéndose con el equívoco. Se lo dice a la primera oportunidad, al final de la clase, mientras escapa por un pelo de Jonathan y la coge por el brazo y la arrastra hasta el baño de las chicas:

—¿Se puede saber por qué hablas sin pensar? Jonathan me ha hecho una escenita; estaba convencido de que estaba saliendo con Alcesti.

—¿Una escenita? ¡Qué romántico! —dice Leda, entrecruzando los dedos de sus manos y juntando los brazos en el pecho como una actriz antigua—. Ya sabía yo que estaba enamoradísimo de ti.

—¿Pero se puede saber qué le has dicho?

—¿Yo? Nada. Solo que te había visto con Alcesti y que parecía que...

—¿Qué?

—Que estabais muy a gusto.

—¡Eres tonta! —dice Zoe, furiosa.

—Lo sé —dice Leda, complacida—. Pero al menos así te has dado cuenta de que es amor de verdad.

—Hazme un favor, Leda. No uses esas palabras. Amor, amor...

noticia, modificándola un poquito, inflándola, convirtiéndola en otra noticia, en otra historia. Arabescos, arabescos también aquí. Por desgracia, Jonathan no tiene de momento un aire divertido, y Zoe podría apostar a que su sentido del humor está bajo mínimos.

—Leda dice un montón de cosas sin pensarlas —empieza Zoe—. Ayer me vio hablar con Alcesti en el pasillo y ha sumado dos y dos, solo que el resultado según ella es ocho, y no cuatro.

—¿Porque si fuese cuatro cuál sería el resultado?

—El resultado es cuatro, y quiere decir que Alcesti y yo hablamos, y nada más.

—¿No habéis empezado a salir? ¿Está intentando ligar contigo? ¿Te manda notitas?

Una vez más, a Zoe le entran ganas de reír. Le encantaría darle una torta a Jonathan, y decirle: «Espabila, ¿estás loco?». Pero, al mismo tiempo, se siente incómoda. ¿Qué derecho tiene a hacerle todas esas preguntas? ¿Y, sobre todo, qué derecho tiene a dudar de ella?

—Escucha —le dice, y de repente se ha puesto seria, más seria de lo que nunca haya estado con él—. O me crees, o no me crees. Y si no me crees, no tengo nada más que decir.

—Pero tú y yo estamos juntos... —protesta, algo desconcertado por la seguridad demostrada por Zoe.

—¿Qué quieres decir? ¿Que no puedo hablar con nadie más?

—Pero yo pensaba... —Jonathan titubea. Se ha puesto colorado, arrugada la frente, y Zoe siente ternura. No consigue esconderla.

—¿Qué pensabas? —le pregunta, con una voz más dulce de lo que hubiese deseado.

—Creía que como tu amiga Rossella tiene esta historia con uno mayor, a ti se te había ocurrido probar.

Zoe echa para atrás la cabeza, y resopla.

—Si Rossella hace algo estúpido, y está haciendo algo estúpido, ¿por qué tienes que pensar que yo quiera también hacerlo? Y, además, ¿qué significa probar? No soy un científico que necesita hacer experimentos. —Mira a otro sitio, vagamente ofendida—. Pero ¿qué se te pasa por la cabeza?

—Per... perdona —dice el muchacho, tartamudeando—. Es que estoy... celoso, es eso.

Le entran ganas de reír. ¿Celoso? Una palabra importante, celos. Algo importante, de mayores. Y

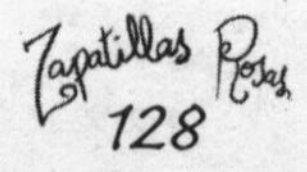

estúpido, por lo que le atañe. Ella no se siente celosa si Jonathan habla con otras chicas. ¿Por qué él sí? Porque es diferente, se responde. Porque todos somos diferentes. Y esto es lo bonito. Y esto es lo malo.

—No he hecho nada para que estés celoso —le dice, después de un rato, mirándolo a los ojos—. Y, además, no quiero que seas celoso. Estás exagerándolo todo. Quiero que estemos bien, que nos divirtamos. Deja ya de preocuparte. Confía en mí. Quédate tranquilo.

Luego, suena la campana y la clase se llena de nuevo, y Jonathan vuelve a su sitio. Zoe saca un libro del pupitre, lo abre y se empeña en leerlo, aunque no entiende nada de lo que dice; lee y relee la misma frase —«una increíble cantidad de provisiones»—, y le parece una frase sin sentido, pero también Jonathan ha dicho cosas sin sentido, y ella está algo enfadada con él. Más que enfadada, irritada. Sí, porque ella no es propiedad de nadie. Ell es una persona. Los celos, según lo ve ella, son u asunto de propiedad, de posesión. Todo es mí todo es mío.

Y, luego, está irritada también con Leda. P con ella, más que irritada, enfadada de verdad.

—Por qué, ¿no es amor de verdad?

—No lo creo.

—Y entonces, ¿cómo es que estáis siempre juntos?

—No estamos siempre juntos. Hay otras cosas en mi vida. Otras personas.

—¿Como Alcesti? —pregunta Leda, maliciosa, alzando las cejas.

—¡Como tú, idiota!

—¿Soy yo más importante que tu novio?

—Tampoco soporto que utilices esa palabra. Te lo pido, te lo suplico, ¿no puedes comportarte como una chica normal de once años?

—Casi doce, por favor... Y, de todos modos, todas las chicas normales de once o doce años que conozco se comportan exactamente así. Date cuenta de que la que es rara eres tú, Zoe. Que luego tampoco eres tan rara, porque tienes novio, aunque digas que no. Y tienes un montón de admiradores, pero haces como si no te dieras cuenta... Aunque a mí no me engañas. En realidad, tú también eres como yo, como las demás. Solo que quieres hacerte la superior.

—¿Sabías que eres del todo boba, pero boba de verdad? —le dice Zoe, muy seria.

—Claro que lo sé —responde Leda—. Pero eso pasa con las amigas: hay una inteligente y una boba. Tú eres la inteligente, y entonces yo tengo que ser a la fuerza la boba. Hay otras variantes interesantes, la guapa y la fea, por ejemplo. Pero no vale en nuestro caso, porque somos las dos guapísimas, aunque de modo diferente, así no competimos. Pon que las dos tuviésemos el pelo rubio y largo y los ojos azules, entonces sería una guerra abierta. Y probablemente no seríamos ni siquiera amigas. En cambio, así estamos muy bien. Y que sepas que a los chicos les gustan más las bobas. Les asustan menos. Así que deja de hacerte la intelectual, o al final te encontrarás sola y yo te tendré que pasar los restos de algún que otro admirador mío. ¿No puedes llamar a las cosas por su nombre y ya está? Tú y Jonathan estáis juntos. Sois novios. Punto pelota. Si él es celoso, es problema suyo: o tiene motivos, o es un inseguro.

—O puede que sea bobo como tú —dice Zoe, rindiéndose. Leda es irresistible a veces. Es tan absurda que es imposible no quererla.

—Claro, ahora él también es bobo y tú eres la única inteligente en diez kilómetros a la redonda,

¿verdad? ¡Venga, baja del pedestal! ¿No puedes ser una chica normal un rato? Venga, hazlo por mí. Sé un poco boba, así yo no me siento tan inferior.

Leda la coge del brazo y la arrastra fuera, acaba de sonar el timbre; hay que volver rápido a clase. Jonathan tiene un aire guerrero, atrincherado en su pupitre; mira por la ventana como si nada, pero parece que está rumiando algo, es como si estuviese sentado sobre un hormiguero: se agita en la silla, dando golpecitos en el borde del pupitre con un bolígrafo. Zoe le lanza una mirada rápida, sonriendo para sus adentros, y piensa que es todo tan absurdo...; parece una de esas series estúpidas de por las tardes, esas ambientadas en los colegios norteamericanos con las taquillas y los polideportivos donde al final de curso hay un baile; esas series que sabes que son estúpidas, pero si comienzas a verlas estás perdido, no puedes dejar de ver un capítulo. ¿Cuál será el próximo? Será suficiente esperar a que suene el timbre de la una para descubrirlo. Pero Zoe no tiene prisa, y, además, ahora hay Literatura, y la profe ha prometido que leerá en voz alta algo bonito. De hecho, empieza sin decir de qué se trata, como hace siempre, llevándote sin preaviso a otra dimensión, dejando fuera el mundo

normal de pupitres y pizarras y de caras pálidas. «Coraline descubrió aquella puerta después de haberse mudado a la casa con la familia. Era una casa muy vieja, con un desván, un sótano, y un jardín lleno de hierbajos y de grandes y viejos árboles...».

—Hola, Rossella, ¿qué tal?

—Bien. Siempre se contesta así a esa pregunta, ¿no?

—Pero yo quiero saber cómo estás de verdad.

—Pues no lo sé muy bien.

—¿Paul?

—Paul va a lo suyo, como siempre. Yo intento estar pendiente de sus cosas y meterme en su mundo. Y el resultado es que me paso el tiempo corriendo tras él y buscándole.

—¿Y él?

—A él le encanta. Le encanta que todos lo adoren. Y es lo que suele pasar. Es tan bueno tocando que consigue encantar a cualquiera. Si luego en la vida real es un caprichoso egoísta que obtiene siempre lo que quiere..., habrá que tener paciencia.

—Pero si sabes que es así...

—El amor, querida Zoe. Dicen que cuando estás enamorada no ves los defectos del otro, pero yo creo que los ves perfectamente pero ignoras lo que no te gusta y te aguantas. Así que para mí Paul es maravilloso y puedo.

—Quizá si salieses con otras personas...

—No puedo, ¿entiendes? Mi grupo es el del conservatorio. Nos cruzamos en clase, hacemos teoría y solfeo juntos, tocamos juntos. O dejo el saxo, o los sigo viendo a todos.

—Y el saxo te importa mucho, ¿verdad?

—Muchísimo. Tocar es lo único que me hace sentir bien. Y también lo único que me gusta hacer sola. Para todo lo demás tengo que estar siempre en medio de la gente. Porque allí, en medio, está Paul, y si no está se habla de él. Eso es. Un horror ¿no? ¿Y tú? Perdóname, hablo siempre de mí misma. ¿A ti qué tal te va? Jonathan me parece muy majo.

—Sí, pero ahora está celoso. Creía que estaba saliendo con un chico mayor que yo. Fíjate que bobo.

—Bueno, es bobo porque es pequeño. Yo creo que es demasiado pequeño para ti. Nosotras las chicas somos más espabiladas. Queremos algo más. Los chicos de nuestra edad son todavía algo infantiles. ¿No?

—No sé...

—Pero este chico mayor, ¿cómo es?

—Es educado, simpático.

—¿Y te gusta?

—Nunca me lo he planteado. Quiero decir, hasta el otro día ni siquiera sabía que existía.

—¿Estás segura? Porque eres muy despistada y a lo mejor lleva un siglo pendiente de ti, intentando llamar la atención, y tú ni siquiera te has dado cuenta.

—No creo.

—Bueno. Ya me contarás cómo va todo.

—¿Quieres salir con nosotros el sábado por la tarde?

—Solo los niños salen el sábado por la tarde. Nosotros quedamos el sábado por la noche en casa de uno o de otro. Escuchamos música, bebemos. Casi todos fuman. Yo no, porque me hace daño a la garganta; no puedo, por el saxo. Y además me da asco. Bueno, adiós.

Rossella se despide de repente, Zoe permanece en el pasillo con el teléfono en la mano, y se siente algo estúpida. ¿Será tan despistada como dice Rossella? ¿O es Rossella quien tiene una visión deformada de la realidad? Rossella, que parece tan infeliz. Menos mal que tiene su música. ¿Será suficiente?

Zoe sin la danza no sabría estar. Es una idea que le surge por comparación, pensando en Rossella y en el saxo y en las notas como de oro fundido que le sabe extraer. Tal vez porque cuando baila no piensa, y todas las cosas del mundo real (los problemas de la amistad, los contratiempos del amor —suponiendo que se le pueda llamar amor, en fin...—) quedan arrinconadas, o dobladas cuidadosamente, como se hace con las mantas para que al guardarlas ocupen el menor espacio posible, porque el espacio tiene que reservarse para el cuerpo que trabaja y para la cabeza que hace que trabaje, sin distracciones. Zoe pone en su sitio el teléfono y se dirige hacia su habitación con dos breves y elegantes brincos. Generalmente, no baila fuera del colegio, pero esta noche le apetece. Se quita los vaqueros, que son amplios, sí, pero rígidos, como si llevase una capa de cartón. Fuera también la camiseta: se queda con las braguitas y la camiseta interior, blanca con rayitas rosas; fuera las medias, y, descalza, en el espacio reducido de su habitación, improvisa una pequeña coreografía, una hilera de pasos familiares, de esos que ejecuta sin el mínimo esfuerzo, tantos son los años que lleva ensayándolos. No sabe cómo se siente Jonathan (el tontorrón de Jonathan) cuando intenta ser coreógrafo, pero puede sospecharlo: inventar una historia hecha de pasos y gestos tiene que ser precioso. Ella no es capaz. No todos somos iguales: Jonathan es celoso. ¡Qué tontería! Ella no es celosa. Incluso cuando una vez Aliai le dijo que creía estar enamorada de él, no sintió celos. No todos sentimos lo mismo. Un paso, otro. Vuelta. No podemos ser iguales, y tenemos que aprender a ver a los otros como son. Paso, vuelta. (Hay que dar un montón de vueltas para poder bailar en este cuarto). Aceptarlos. Paso. Aceptar a Rossella sin enfadarse con ella porque eso no vale, porque necesita desahogarse, porque quizá solo escuchándose conseguirá entender, poquito a poco, que es mejor la música que Paul, que Paul no es la música, aunque la ejecute bien. Aceptar las pretensiones absurdas de Jonathan, que parecen los caprichos de un niño que quiere un juguete solo para él. Pero hacerle entender que ella no es un juguete. Aceptar a Leda con sus ligerezas, porque no es mala: es solo poco reflexiva y, a veces, algo peligrosa. Aceptar que hay que aceptarse por lo que se es. Yo no toco música, no sé crear una coreografía. Pero soy una bailarina. Esto es lo que soy. Una bailarina.

Una película; bueno, dos

No fue suficiente esperar hasta el final de la clase siguiente, porque Jonathan siguió firme en su postura durante bastantes días. Ella lo ha dejado en paz, evitando mirar hacia su lado o espiarlo, y ha intentado actuar como si no hubiese pasado nada, lo que consiguió sin mayores dificultades porque estaba convencida de que era él quien se había comportado como un estúpido. Y, además, ha tenido tanto que hacer cada día con las pruebas para el ensayo final ya fijadas, los últimos exámenes, y las clases de danza, que, una vez abandonadas las zapatillas de raso, han vuelto a ser densas, serias, previsibles y de técnica pura.

Igualmente tranquila, y al mismo tiempo curiosa, se sintió cuando él, un viernes por la tarde, se paró delante de ella en las escaleras, impidiéndole pasar, y le dijo:

—Tengo un regalo para ti.

Con una sonrisa interior, Zoe piensa: ¿Crees de verdad que se puede arreglar todo con un regalo? Pero una voz asimismo interior le aconseja: Primero mira el regalo y luego decide. De esta forma, Zoe permite que el muchacho le entregue un paquete plano, envuelto en un papel brillante con dibujos azules, el típico papel de regalo para libros, CD y DVD, solo que este, por las dimensiones y el peso, es, sin lugar a dudas, un DVD. Y luego Jonathan la sorprende, porque, en lugar de quedarse ahí a mirarla mientras ella abre el paquete, o esperar a abrir el regalo juntos, la saluda con la mano (sin tocarla, moviendo la mano como si fuese un pañuelo) y baja las escaleras corriendo, sin volverse, como si no quisiese ni siquiera ver su reacción.

Entonces Zoe decide que puede disfrutar del momento muy despacio, como le gusta a ella. No abre el paquete, sino que espera hasta llegar a casa, adonde se dirige sola, sin esperar a nadie, volviendo a pensar en todo lo que ha sucedido en los últimos días, en Jonathan, en Leda, en Rossella, en Alcesti. Y luego, en su habitación, desenvuelve el regalo: *The Company,* de Robert Altman, una película que ella todavía no ha visto sobre una compañía de ballet, y Jonathan lo sabe porque lo habían comentado, bueno, él había hablado de la película. Extrañamente, en casa reina la paz, mamá y Marta están fuera en el curso de gimnasia artística, Sara quién sabe dónde estará, con sus amigas y sus amigos, y es demasiado temprano para que papá esté de regreso. De esta forma, con todo el sofá para ella, ve la película.

En un momento dado, hay un espectáculo al aire libre, en un parque de Chicago, con los espectadores sentados delante de un escenario que se parece a una concha negra, con una fila doble de farolillos alrededor de la platea. Comienza el *pas de deux* de una joven pareja de bailarines. Ella es muy buena. Un pianista y un violonchelista ejecutan la música en directo, y, como pasa siempre con las piezas para violonchelo, es algo melancólica y muy sugerente; por otro lado, es una historia de amor, y como tal la interpretan ambos bailarines. Ella lleva un traje corto, azul oscuro, y baila descalza. Lleva un rato soplando un viento algo molesto; los espectadores se suben el cuello de las chaquetas y se protegen con pañuelos. Parece una noche de verano o de primavera, aunque poco calurosa, y luego comienza a relampaguear a lo lejos. La tormenta se va acercando. Empieza a llover. Entre bastidores, el director de escena se preocupa de que los focos no se muevan demasiado con el viento, porque podrían caerse y romperse. Entre el público se encuentra el director de la compañía, que es un hombre con el pelo cano, extravagante y algo déspota, que no se separa nunca de su bufanda amarilla. Está preocupado por los bailarines; así, cuando empieza a llover a cántaros, pide a su ayudante que vaya corriendo a controlar que el escenario no esté mojado porque podrían resbalar. Llueve con fuerza, pero en la platea nadie se mueve; se abren los paraguas y parece que el público esté formado solo por ellos: una serie de paraguas de colores, inflados y movidos por el viento, que observan un precioso *pas de deux* como si en el cielo brillase la luna más serena. La actuación es un éxito clamoroso. Al final, todos se ponen de pie a la vez y aplauden, lleven o no lleven paraguas, y luego, en los camerinos, no paran de llegar ramos de flores, y hay una cena elegante para la compañía y algunos invitados, que proba-

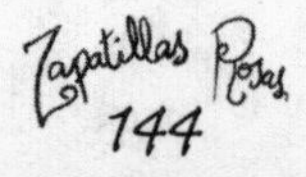

blemente estaba prevista en el parque, pero que se traslada al escenario, aunque parece que no lloverá más. Todos alaban a la bailarina, que está muy elegante con su vestido negro con el cuello mao y un dibujo de flores bordado en la parte delantera. Sin embargo, luego ella vuelve a casa sola, se quita las botas, y se da un masaje en los pies quitándose las tiritas, y llora.

Un momento antes, había llegado Sara. En silencio, se había quitado los zapatos para acurrucarse junto a Zoe. Han visto juntas esta escena, que es preciosa y llena de sobrentendidos. Y ven también el resto de la película, en silencio.

Luego al final, mientras Zoe quita el DVD y lo guarda en su estuche, Sara dice:

—Es precioso, pero es todo tan tremendamente serio. Me parece que prefiero *Billy Elliot*. ¿Sabes?: cuando él es tan feliz, ya no me acuerdo por qué, pero comienza a bailar y sale de casa bailando, y baila por las calles de su pueblo, sin pararse nunca, como un loco, haciendo cosas raras, dando un montón de saltos. Eso es, esa es una película que a pesar de ser triste, en algunos momentos, a mí me ha dejado grabado ese momento de absoluta felicidad. Esta es diferente, todo es un poco con-

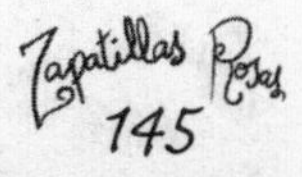

fuso; parece que los bailarines son felices solo a ratos. Se les ve trabajar tanto y el ambiente es tan melancólico. Y esa pobre que se rompe el tendón y no puede salir a escena, y tienen que sustituirla...

—Pero en *Billy Elliot* da la impresión de que solo se cuenta el principio de la historia. A él le cuesta mucho que lo acepten como bailarín, de acuerdo, esa es la idea principal de la película. Pero nosotros el resto no lo vemos. No sabemos cómo le van las cosas en la escuela de danza, la de verdad, cuando al final consigue ir. Vemos solo que al final logra llegar a ser un gran bailarín. En cambio, esta película trata del trabajo de unos bailarines. Aunque muestra una situación excepcional, porque los bailarines pertenecen a una gran compañía, sin embargo, también refleja la normalidad del día a día. Y la normalidad y la rutina son lo más duro de la vida de un bailarín. Cuando se sale a escena, y se actúa..., bueno, esos son momentos especiales, mágicos.

—Yo creo que esta película te gusta más sobre todo porque te sientes un poco como la bailarina. ¿Cómo se llama? Tiene un nombre extraño, Rye, Ryanne, o algo parecido. Su madre la llama Marianne, pero ella se hace llamar de otra forma. Se parece un poco a ti también. No, tiene los ojos y el pelo algo más oscuros que tú, pero tenéis el mismo aire.

Ojalá fuese verdad, se dice Zoe. Pero probablemente Sara solo esté intentando ser cariñosa. Aunque es verdad que le gustan la pasión y el trabajo y la melancolía de esa bailarina. Y le gusta esa película, porque es una historia que cuenta la realidad de lo que sucede dentro de un teatro. Y qué se le va a hacer si no tiene un final feliz. Está bien así.

Sí, Jonathan le ha hecho un regalo muy bonito. Coge el inalámbrico, se lo lleva a su cuarto y lo llama.

—Gracias —le dice.

—De nada —responde él—. Sabía que te gustaría mucho.

—Mi hermana dice que *Billy Elliot* es mejor —dice Zoe.

—¿Sabes que ahora harán el musical en Londres? Uno de los protagonistas fue compañero mío en el Royal Ballet. Acaban de comenzar. Mamá lo ha leído en los periódicos y dice que todo está vendido para los próximos meses. Este verano, cuando vayamos a casa de los abuelos, intentaremos ir a verlo.

—Gracias de nuevo. Creo que el fin de semana la volveré a ver otra vez —dice Zoe—. *The Company*, digo. Bueno, nos vemos en clase.

—Ah —dice Jonathan, y se le nota que está desilusionado porque Zoe ha hablado de verse el lunes en clase en lugar de durante el fin de semana. Zoe lo ha dicho queriendo, para dar a entender que no quiere quedar con él.

—Vale —añade, muy serio—. Nos vemos el lunes.

El lunes, piensa Zoe mientras pone el teléfono en su sitio, a lo mejor las cosas se arreglan. A ella hasta entonces no se le habrá pasado totalmente el enfado, porque cree que no es suficiente un regalo, aunque sea muy bonito, para solucionar las cosas. Hay que estar convencidos por dentro. Quizá el lunes se encuentre a Alcesti en el pasillo, y lo saludará y le preguntará qué está preparando para la actuación de fin de curso, y él se lo contará, tranquilamente, como lo haría un amigo. A lo mejor, le preguntará también si ha visto *The Company,* y como seguro que sí, tendrá algo inteligente que decir, algo sobre lo que podrá reflexionar. Leda estará al acecho detrás de alguna esquina, lista para hacer sus conjeturas, y a Zoe no le importará en absoluto.

Seguirá adelante, con paso firme, porque el final de curso lleva siempre consigo una cierta agitación, en parte por los deseos de ordenarlo todo, de hacer las cuentas y de marcharse de vacaciones, pero también por las ganas de disfrutar hasta el final de todo lo que sucede, del regocijo de la actuación de fin de curso, que es ese sentimiento de loca alegría mezclada con alivio y satisfacción, como le sucede a Billy Elliot, junto con la tensión de los exámenes, que te hace sentir tan vivo. Se tienen también nervios, claro está, porque no sabes muy bien cómo terminará todo. Pero merece la pena vivirlo y meterse en faena para hacer que sucedan los hechos. No simplemente *dejar* que ocurran y ya está, sino *hacer* que ocurran.

SORPRESAS

Leda y Lucas van de la mano. Es un espectáculo sorprendente, tanto que Zoe no consigue fingir indiferencia y viéndolos delante de ella en el portal de casa comenta en voz alta, abriendo los ojos de par en par:

—¿Pero qué hacéis? ¿Os habéis vuelto locos?

—No —le contesta Leda con una sonrisa enorme, cogiéndose del brazo de Lucas—. Somos felices.

Él, más que feliz parece cortado; se nota en cómo cambia el peso del cuerpo de un pie al otro, como si de un momento a otro se fuera a poner a interpretar un baile escocés de esos que le gustan tanto al maestro Kaj y que baila y enseña con exagerada pasión. Zoe tiene la sensación que si Lucas pudiese dar rienda suelta a sus pies, escaparía, pero no entiende por qué. Si es verdad lo que dice Leda, que son felices, ¿cómo es que le parece que a Lucas le gustaría estar en cualquier otro sitio, posiblemente en un planeta de otra galaxia?

Por otro lado, no hay ni manera ni tiempo de poder interrogar a Leda para saber cómo ha conseguido convencerlo (conquistarlo, diría ella) y qué ha ocurrido y cuándo. Se dirigen hacia el parque, donde encuentran a Jonathan, que ya está sentado en el banco de siempre y los saluda con la mano, haciendo gestos para que se acerquen.

—¿Pero nosotros no tenemos que ir a comprar una sudadera? —pregunta Leda a Lucas.

—También podemos quedarnos aquí. No es indispensable; tengo otras cosas que ponerme —contesta. Se suelta de la mano de Leda y se acerca a Jonathan con gran alivio.

—Lucas tiene razón —dice Jonathan—. Hace muy bueno, por qué tenemos que ir a encerrarnos en las tiendas. Y, además, ya sabéis que los sábados hay un follón increíble en el centro.

También aquí, le entran ganas de decir a Zoe. El sábado por la tarde hay un follón increíble en todas partes. Niños en sillitas, niños en triciclos, niños en bicicleta con o sin ruedines, caminantes medio des-

nudos, y ese grupo de señoras extranjeras que se reúnen siempre alrededor del mismo banco, sacan tarteras llenas de comida indefinible, meriendan y luego se ponen a cantar, en círculo, melodías tristes y extrañas en un idioma desconocido. Porque es verdad que hace un día estupendo, el sol calienta los brazos desnudos, y Jonathan la está mirando con una mezcla de sospecha y nerviosismo, como si estuviese esperando algo. ¿Estará todavía enfadada? Bastante. ¿Habrá entendido Jonathan el porqué de su enfado? No hay forma de saberlo mientras permanezcan los cuatro juntos: Leda, embobada, mirando fijamente a Lucas; Lucas, medio contento y medio nervioso. Y ella, Zoe, ¿cómo se siente? Tranquila. Un poco como atontada. Será a causa del sol que le da en la cabeza y se la calienta y la vuelve ligera, ligera como un globo listo para volar. Le encantaría poder elevarse, ahora que lo piensa; alzarse por encima de los arbustos y de las copas de los árboles y de la fuente y del castillo, y mirar todo desde lo alto, desde una cierta distancia, como cuando estás en un avión que acaba de despegar y puedes ver la verdadera forma de ciertas cosas que desde cerca no se consiguen abarcar: las carreteras, las casas, la ciudad. Pero puede que por el momento no tenga ganas de ver nada; está bien y punto, porque casi es verano y la cabeza ya se puede ir de vacaciones y el cuerpo también. Sí, de acuerdo, quedan la actuación y los exámenes, pero son todas cosas que ya ha hecho en el pasado, y que puede volver a hacer. Puede que no con absoluta tranquilidad; quizá con un poco de nervios, pero luego todo pasa, ¿no? Y las conquistas, las metas alcanzadas son cosas bonitas. Cosas que te permiten crecer. De repente, se levanta del banco y hace algo inusual para ella: corre hacia la fuente, algo desmelenada, dejando que el viento pase a través de su pelo, con la cabeza hacia atrás, con la frente caliente por el sol.

—¿Dónde vas, te has vuelto loca? —le grita Jonathan, y su voz suena lejos, muy lejos.

Zoe, en este momento, está sola. Jadeando, se deja caer sobre el borde de la fuente, mete la mano hasta la muñeca, el agua helada hace que dé un respingo y suelte un grito. ¡Cuántas sensaciones! ¡Qué alegría estar viva! Espera, espera. Atención: surge un pensamiento nítido, clarísimo. Un pensamiento, todavía uno más, del manual de la bailarina:

Hasta este momento, creo haber sido demasiado seria y reflexiva. Pero para llegar a ser una bailarina es necesario ser alegre, estar llena de luz y de vida. Tener ganas de superarse, tener deseos de aventura. Tener coraje. Ser fuerte. Y ser también algo alocada, porque ser y tener todas estas cosas al mismo tiempo es de verdad una locura.

Es así como se siente hoy Zoe. Algo loca, deliciosamente loca, y muy, muy viva. Una manera excelente de ir al encuentro del verano.

ÍNDICE

Entra en nuestra web:

www.zapatillasrosas.es

Encontrarás información sobre los libros
de esta colección, juegos, un diccionario de ballet
y... ¡otras muchas sorpresas!